うたかた／サンクチュアリ

吉本ばなな

角川文庫　10567

目次

うたかた

嵐とは一回キスしただけだ。

ここが日本だからまだよかったが、外国だったらそんなのほとんど友達以前の範疇だ。そしてすぐに彼は遠い所に行ってしまった。だから、私にはまだこれが恋かどうかも本当にはわからない。さっぱり、わかっていない。

それでも嵐を好きになってから私は、恋というものを桜や花火のようだと思わなくなった。

たとえるならそれは、海の底だ。

白い砂地の潮の流れに揺られて、すわったまま私は澄んだ水に透けるはるかな空の青に見とれている。そこではなにもかもが、悲しいくらい、等しい。

目を閉じて走っても、全く違う所を目指したつもりでも、気持ちはいつの間にかくり返しそこへたどり着く。そこはいつもとても静かで、いつも彼の面影に満ちているので、私は目を覚ますことなく、ずっと、そこでそのまま眠っていたくなる。

でもそこだけは決してはき違えない。

私にとっては現実の嵐のほうがずっと大切だ。瞳を見開き、心に海を抱えたままで、嵐と生きてゆこう。

私の名は、鳥海人魚という。

とりうみ、にんぎょと読むのだ。

私が初めて嵐の名前を耳にしたのは、母に私のこの、とんでもない名前の由来を聞いた時だった。

まだ小学校に上がったばかりの頃だ。

寒い寒い、真冬の夜更(よふ)けだった。

おやすみを言いに行く時、母がストーブの前でひざを抱えている後姿がなんとなく暗い感じだったので「どうしたの？　ママ。」と、バファリンのコマーシャルみたいに、声をかけてみたのだ。母は振り向いて微笑(ほほえ)み、

「人魚、まだ起きてたの？」

と言った。いつもの母の笑顔だったので、私は安心した。

「ねえお母さん、どうして私、こういう名前なの？」

と私はたずねた。その頃は、できた友達に名を名のる度に、由来を聞かれていたのだ。

「うふふ。」と笑って母は言った。「愛し合うお父さんとお母さんの想いをありったけ込めて、私たちの娘が地上の万物に愛されるように、って、鳥も海も人も魚も名前に入れちゃったの。そしてね、お母さんとしては、人魚には人魚姫のように、好きな人のために命さ

え投げてしまうような女性になってほしくってね。」

　そういう、うそのような本当のようなことを真顔でうっとりと言うような母だった。そんな時、母の表情は輝いていてとても美しかった。だから私は母のそういう話がとても好きだった。

「そうだったの、すてきね。」と私は言った。

「お母さん、さっき元気なかった。」

「うん、お父さんがね。」

　と、とたんに母はまた瞳を曇らせてしまった。またか、と私は思った。私は、私の父であるという人物をものすごく嫌っていた。その気質を甘やかす財さえあれば、人はいくらでも変わり者になれるらしい。父は、親の残した資産を食いつぶして、若いうちから好き放題に生きてきたという。彼は未婚で、定職がなく、となり町にある廃屋のような家で暮らしていた。ずっと母は父の恋人で、結婚せずに私を産んだ。私と母の生活費は全て父から出ている。強いて言うなら母の立場はおめかけさんなのだろうか。私は父と同居したことがない上、たまに会えばいつも、お酒も飲んでいないくせに酔っぱらったような大声で話す大男、という印象しかなく、子供心にはただとにかくこわいだけの人物だった。

「お父さんとなにかあったの？」

と私は眉(まゆ)をひそめて言った。

「そんな、いやな顔しないで。人魚ったら。本当にあの人が嫌いなのね。」

母はおかしそうにくすくす笑い、続けた。

「あのね、人魚。人魚にお兄さんができてもいい？」

母子二人で暮らしているから、母はなんでもかんでも私に話した。時々は、子供の私に理解できないこともあった。だから私は、意味がわからなくても、色で母の言葉を感じ取った。明るい色、暗い色、嬉しさの色、悲しみの色、そういう風に、それが子供なりの知恵だった。そしてその時の言葉は私の無垢(むく)な心の海に透明に響いた。しんと波紋が広がるような感じだった。

「弟じゃないの？」

と私はたずねた。私よりも後にできた赤ちゃんは弟だよねえ、と思った。

「違うのよ、お母さんはもう子供ができないんだったら、やあね。そうじゃなくて……お母さん、昔、お父さんと知り合った頃にちょっとだけ、モデルのお仕事をしていたことがあるの。その時のお友達に真砂子ちゃんっていう人がいて、お父さんのお友達でもあるんだけど、その人がね、自分の子供を捨てて、外国へ行っちゃったんだって。どこに捨てたでしょう、人魚、クイズ。」

楽しそうに母は言った。

「わかんないよ、教えて。」

早く聞きたかったので怒って私は言った。

「あのね、お父さんの家の、庭。」

母は答えた。

「それって、人間の子の話?」

私はびっくりして言った。

「そうなの。猫とかじゃないの。本当よね。まるで動物みたいね。……それでその子、私が引き取ろうかなって思うんだけど、もしもその子がお父さんと真砂子ちゃんの子だったら悲しいなって、今、思ってたのよ。まあお父さんは否定してるんだけれど、だったらどうしてお父さんの家の庭に捨てちゃうのよねえ。あの人の言うことってアテにならないから。」

母の悩みをよそに、私はその〝捨て子〟というものすごい、わくわくする設定に心を惹かれて、母のとなりへ寄っていった。ストーブは熱く、見上げた母の横顔が赤く照らされていた。ストーブの上のやかんから絶え間なく蒸気が吹き出していた。窓の外は今にも雪になりそうな氷雨(ひさめ)が降っていて、母は肩のカーディガンを私に着せかけて、

「今夜は寒いわね。」

と言った。私は、うん、と言った。母はひざに顔を寄せ、首をかしげるように私を見て、

「どうしようか。」

と言った。

「なんていう子なの？　その子。」

もしかしたら共に暮らすことになるかもしれないその男の子の名を、不思議な気持ちで私はたずねた。

「嵐くんっていうのよ。」母は言った。「あなたよりも二つ上かしら。今は、お父さんの家にいるの。」

「あのボロ家に？」

数回、行ったことのある、人の住んでいるとは思えないような父の家を私は思い描いた。

「そう。それに、お父さんって家を空けることがあまりにも多すぎて、ちょっとね。法律上のことはなんとでもなるにしても、子供があそこで育つのは、どうかと思うのよ。」

母は言った。

「その子、かわいそう。」私は言った。「捨てられるって、どんな気持ちかな。」

「後々まで恨みが残るんじゃないかしらね。門にしがみついて、歯を食いしばって、声も

出さずに泣いてたんですって。真砂子ちゃんのお母さんの形見のダイヤの指輪を握りしめてね。きっと養育費のつもりだったんでしょうけど、相変わらず大ざっぱだわ。ダイヤ一個で子供が育てば警察はいらないわよね。」

「どうして警察なの?」

私は言った。

「人魚もまだまだ、なぜなにの年頃ね。」母は微笑(ほほえ)んだ。「赤ちゃんはどうしてできるのっていう質問はもう、二、三年待ってね。」

「うん。」

私はうなずいた。母も、それそうとうには間の抜けた、変な人だった。

その後、しばらくのごたごたを経て、結局嵐という名の男の子は父の家で育つことになった。私は父の家には行かないので、きっと会うことはないだろう、と思った。それでも幼い私の胸には、門にしがみついて泣く男の子が、その切ない気持ちが、その頃のことと一緒にくっきりと刻み込まれた。

父が、突然、ネパールへ行くことになった。ホテルを経営している友人の所へころがり込むとかで、いつ帰るかわからないのもいつものことであった。いつもと違うことがひとつあった。母が同行すると言い出したのだ。私は十九になり、大学に通っていて、ちょうど夏休みの終わり頃だった。

「だってお母さん、日本からろくに出たこともないのに？」

　母の決心を聞いた時、私はびっくりして言った。あまり意外で、ほらかと思った。

「ええ、ちゃんとした観光用のホテルだっていうし、いざとなったら部屋から出なければいいのよ。それより、人魚が心配よ。ひとりでしばらく、暮らせる？」

　母は心配そうに言った。私は、

「うん、行っておいでよ。」

　と言った。内心は、それよりも、お母さんが……と思った。一緒に住んだこともない父と、山の上で、異国の風俗の中で暮らせるのだろうか。でも、母もたまにはなにか画期的なことを求めているのだろう、と思った。それならばきっとその決意には深いものがあるに違いなかった。それを尊重してあげたかったのだ。

〝そのこと〟に気づいた瞬間のショックは大きかった。

「ねえ、どうして急に旅行に行く気になったの？」

私はたずねた。準備もすっかり大詰めに入り、なんでも持っていきたがる母の荷物をチェックするのに忙しい頃だった。ちょっと目を離すと母は「タオルの替えの替え」「そのまた替え」……という感じに心配して考え抜いてしまうのだ。その緊張ぶりは痛ましいほどで、なんだかこの世の果てに行く決意をしてしまった人のようだった。

「だってもう人魚も大学生だし、これからはどんどん自立していっちゃうでしょう。たまには自分からなにかに飛び込んでいかないとねえ、どんどん老け込んでしまうわ……。」

と答える母を見ると、ガイドブックの「時差」のところをメモしていた。私はまた不安になったが「すばらしい心がけね。」と言い、足元にころがっていたネパールの写真集を取り上げてパラパラめくってみた。

山のふもとにのどかに広がる緑、ほこりっぽい街路に群がる人々、馬、赤茶けた街並のいたる所に不思議な色彩でたたずむ神々の姿。山へ向かう人々の行列、たくさんの寺院の古い壁の色。父と母が行くというホテルが小さく写っていた。どの写真の向こうにもその独特の澄んだ空と、くもの巣のように白をまとった山々がしんと存在していた。

すごく、変な気分だった。

「お母さん、ほんと――うに、ここに行って暮らすの？」

私はぼんやり写真を見たままそう言った。

「そうよ。」

母はなんなのかしら、という感じで言った。

「そうよね。」

と言って私は黙り込み、床に広げた本の中に実感を見つけようと思ったが、そんなものは私の中に全くなかった。

私はずっと母と二人だったし、それがネパールに限らないことに、私は気づいた。自分にとっては子供の頃からずっと、母が出かけていってしまう場所は霧の中のままで、でもその時、私には母のいる風景と、そしていない風景の二種類しかない、と知ったのだ。父の家だろうが、ネパールだろうが、実感のなさは一緒だった。それはカギっ子の淋しい生活が産み出した「生活の知恵」だった。そのことにきちんと目を向けるとたったひとりの身よりである母が遠のいてしまう気がして淋しくなるから、父にも、父の家にも、私たちの生活費を父が出していることからもすっかり目をそらし、ただ家で母を待って生きてきてしまったのだ。この視野では——私は十九にもなって、まだただのひとりぼっちのカギっ子のままではないか——びっくりした。暗闇の中で窓がほんのちょっと開いて光が入ってきたような感じだった。ちょっとだけ高くから見るとぐんと角度が変わって映る景色を見たようだった。突然にせまって見えてきたその人生の風景は私の今まで思っていたよりずっと生々しく、雑多で、こわかった。でも目をそらしたくはなかった。それはなんとなく打ちひしがれるようないやな感じではあったが、確かに「未来」に続く感じだった。

なんだかわからないけど、なにかが変わるといいな、と思いはじめながら、その夏の終わり、カトマンズへ発つ母を見送った。

だからこれは、母の小旅行によって突然長い眠りから覚めてしまったような私の、ちょっとした物語である。


母が行ってしまって、ひとりになってみると「囲われ者にしてはせこい」とかねがね思っていたそのマンションも結構広く感じた。それに、行ってしまった所があまりに遠くて気軽に電話で質問もできない。私は秋のセーターを編みはじめていたが、減らし目のところでわけがわからなくなってやめてしまった。そうなるとあまりヒマなもので私は退屈しきってしまい、家の台所を暗室に改造して写真に凝りはじめた。にわかじこみなのでいい加減なもので、電車で田舎町に行っては畑の年寄りとか馬のケツとかをアップで撮っては現像して、芸術っぽいわ、と満足したりして過ごしていた。

嵐に出会ったのは、そういうある日のことだった。

私はつい十二時間も眠ってしまい、目覚めたら窓の外がすっかり夕焼けだったのでびっくりした。起こしてくれる人がいなくて歯止めがないとこんなにも眠れるものかと思うとものすごく不毛な気分になり、うつろな気持ちでシャワーを浴びた。窓から、夜になってゆく街並（まちなみ）をぼんやりながめていたらなんとなく都会が見たくなり、電車に乗って新宿へ出た。

不思議と青く澄（す）んだ、生温かい夜だった。空気はまだ、夏の緑の匂いがした。夕食をすませると私は、駅を西から南へ抜けるモールを歩いて行った。ゆるやかな坂に沿って並ぶ店のウインドウが、ずらりと夜に浮かぶのを、なんとなく見て歩いた。明るく光るディスプレイが続き、いろんなものを売っている。人も、たくさんいる。中央の広場は祭りのようににぎわい、ビルとビルとビルの間に囲まれた小さな夜空を風が渡って行った。ベンチにはカップルが鈴なりになり、アイス屋にはいつもどおりに女の子たちがてんこ盛りだった。こんなにたくさんの人々がどこからわいてくるのかな、と思いながら、私はそこを通って行った。この人々それぞれが生活したり悩んだりしているんだわ、と気づくと、眠りから目覚めたばかりの目であたりを見回す私は今、自分は旅人だと思った。知り合うことのない、たくさんの人々。

駅の構内に続く通路の所に、花屋があった。透明なガラスの向こうに、色とりどりの花々がライトに照らされて勢いよく輝いていた。私は一瞬、目を奪われて花が欲しくなってウインドウをのぞき込んで立ち止まった。

彼がうしろを通った時、うそじゃない、私にはわかった。彼だということが、ではなく、知っている人が通った、という感じがあまり強くしたので、私は振り向いた。

相手も振り向いたが、それは見たこともない青年だった。溌剌として、明解な瞳の、短い髪の、強く光るような青年だった。びっくりした顔で、彼は言った。

「おまえ、鳥海人魚じゃないか?」

私もびっくりして、

「はい。」

と答えた。私はその時、自分の名を発音する響きの美しさに酔いしれていた。いや、名前が美しいのではなく、澄んだ低い彼の声が特別だったのだ。心と言葉をひとつにまとめて押すような、深い響きだった。なにかしら、この人、なんなのかしら、と私は思って彼を見ていた。

「やっぱり、そうか。」

と言って彼は、思い切り笑顔になった。

「あなたは、誰ですか?」

私は言った。

「俺は、高田嵐だよ。知ってるだろ？　おまえのお父さんと、ずっと一緒に住んでるんだ。今は、あっちに行っちゃったけどね。」

「ああ、あなたが？」

初対面でおまえ呼ばわりされても、大して腹も立たなかった。彼の正体を私は、聞く前からよく知っていたような気さえした。全然、異和感がなかった。

「うん。」

にこにこして彼はうなずいた。細めた瞳が深く輝いていた。

「どうして、私を知っていたの。」

私はたずねた。

「家に、写真があるんだ。おまえのお母さんと、おまえの。写真のおまえは小学生くらいだったけど、全然変わってないんですぐにわかったよ。」

「うん、私、成長していないから。」

バカみたいに私は笑ってそう答えた。なんて感じのいい人なんだろう、と私は思った。人によっては彼をひと目見て、その押してくるような率直なもの言いに不快を感じるかもしれなかった。しかし、私は〝父に育てられた少年〟に、サルや狼に育てられたそれのような悪い先入観を持っていたので、全く、気にならず、なによりあの父親に教育されたというのに、ちゃんと礼儀正しい彼を見て、父に対する見方さえも少し変わりそうなくらいにびっくりしていた。

「となり町なんだから、今まで会ったことがないほうが不思議だよな。」嵐は言った。「兄妹のようなものなのに。」

「うん、そうね。でも、すごい偶然だったわね。」

「うん、おまえが振り向かなかったら、絶対にわからなかった。」嵐はウインドウを指して言った。「花を買うのか？ 買ってやろうか、記念に。」

私は、花屋で彼にたくさんのコスモスを買ってもらった。あまり嬉しくて、

「これの花言葉は出会いなのよ。」

とでたらめを言った。

「ちょうどいい。ところで今から帰るんなら、どうせ同じ方向だから一緒に電車に乗って行こう。」

と彼は笑った。

彼と言葉を交わした瞬間、突然世間に色がついたので私はびっくりしていた。

淋(さび)しさというのは、いつの間にか、気がつかないうちに人の心にしみてくる。ふと目覚

めてしまった夜明けに、窓いちめん映るあの青のようなものだ。そういう日は真昼、いくら晴れても、星がどんなにたくさん出ても、心のどこかにあのしんと澄んだ青が残っている。ずっと二人で暮らした母が急に生活からいなくなって、私はまっ青に染まっていたのだと思う。彼のくっきりした輪郭は、彼の孤独だったであろう半生からくっきりと浮かび上がり、私のささいな淋しさを取り去る力を持っていた。

二人で並んで電車に揺られながら、三秒に一回くらいずつ私は「もしかして血のつながった兄妹なのかもしれない」と思い、その度になんだかがっかりした。

急行は夜を急ぐ。会ったばかりなのに古い知り合いのような彼は、笑って父と暮らしてきた日々を語った。

「下駄箱に現金がたくさん入ってんだ、うちは。それで、それを好きに使っていいから自分の面倒は自分で見ろって言うんだよな。子供の頃なんか、あんまり何日も親父が帰ってこないと、どこかで死んでるんじゃないか、自分はどうなるのか、すごく不安になったりした。でも、ずっと自由で、慣れてからは楽しかったよ。」

私は話す嵐をじっと観察した。

せまい額の理知、大きく聡明な瞳、無造作にはねた髪の野性、大きくがっちりした肩。背はそれほど高くないが、背すじが毅然と伸びていて「意志」が立っているようだった。

彼はなにもかもがあまりにも彼らしくひとつにまとまっていて、とても乾いた印象があった。

「なにをじろじろ見てるんだ?」

と嵐が言った。電車はがたごと揺れながら、ゆるやかなカーブを曲がってゆく。ネオンや看板をちりばめた景色が窓を通り過ぎる。車内は白く明るく、家路に向かう人々はみな黙って眠そうに連なっている。私は、

「私と似ているところあるかなと思って。」

と言った。二人は並んだ顔が景色に透けて、車窓を夜と共に走ってゆくのを見つめ合った。

「そうか、もしかしたら本当の兄妹かもしれないからな。」嵐は言った。「親父は違うって言ってたけど、おまえのお母さんはそれが心配で俺とおまえを会わせないようにしたらしいよ。こうやって、会っちゃったけどさ。俺は不自然だなと思ってたし、ずっと会ってみたかったよ。それにしても、おまえ親父に似なくて本当によかった。」

「お父さんに似てる女の子なんていないわ。」

私は笑った。うつむいたほほにさらさらコスモスが触れてよい香りがした。

「そうだな、今度。」嵐はすとんと言った。「今度、家に遊びにおいで。」

私はほんの少し、びっくりしてちょっと話をそらす感じで言った。

「相変わらず、あんなに汚いの？」

「うん、相変わらず、すごく汚い。来たことあるかい？」

嵐は明るく笑った。

「うん、あなたがあの家に住むようになる前、二、三回ね。私はお父さんがとても苦手で、大声でなにか言われるとすぐ泣き出してしまったんですって、小さい頃。だから、母が連れて行かないようになってしまったの。母もあまり最近は、寄りつかないらしいけれど。」

私は言った。

「住んでりゃ、慣れちまうよ。なんでも。」

嵐は笑った。速度が落ちて、電車がホームにすべり込む。嵐の住むその家がある駅だった。

「おっ、着いた。それじゃあまたな。」

ドアが開き、嵐はそう言ってさっと電車を降りた。走り出す電車から、ホームを大またで歩いてゆく彼を残像のように遠く見送って、がっかりしていた。私は彼の声をもっと聞いていたかった。彼の存在感はまるで身内のように親しく、好きな人のように深く心に残った。ちょうどその二つの感情が混ざった淡いときめきが、心の中で電車のリズムに合わせていつまでも揺れた。

私はその時彼にはまた必ず、会えると、会ってみたいと思った。でも、もし血がつながっているのならばもう会わないほうがいいようにも思えた。そのことは、ほんの小さなしこりではあったが、心に小さくひっかかったまま残った。


ある日私は、しばらく連絡のない母がカトマンズでどうしているのか気になって電話をかけてみた。

着いた時と、その後一回、明るい声で近況と家のことを心配してかかってきたのだが、それっきりなので気になったのだ。なんとなくかけるとはいっても三分で何千円とか、そういうお値段なので、受話器を持つ手が緊張した。「国際電話のかけ方」を片手にしているのも情けなかった。やっとホテルが出て、母の名を呼び出したのに、電話に出たのは父だった。「もしもし。」と、どなるような低い声が聞こえた時、私はぎょっとして「え？」と言ってしまった。

「なんだって？　どこの店の人魚だって。」

父の巨大な声は距離を埋めた。すぐそこにいるように聞こえた。

「高いお金でかけてるんだから、そういうつまらない冗談言わないでよ。お母さんは？」

私の強い態度は緊張からだった。私は国際電話も、父と取りつぎより長く話したことも、初めてだった。

「あいつなあ、弱いから高地の空気が合わなくてすっかり寝込んでるんだ。」

父は笑って言った。

「とても重いの？」

にわかに不安になって私は言った。

「おまえがそうやって過保護だからいけないんだよ。少しはきたえたほうがいいんだ。なにか用なら言ってみな、伝えてやるから。」

父が言った。私は強い口調でつけ足した。

「ちゃんと、いたわってる？」

「いたわってるもなにも。本当に手のかかる女だと思って反省してるよ。おまえもこっちに来て運動でもしたらどうだ。その細こい体じゃあ子供も産めまい。じゃあな、高いんだろ、切るぞ。」

「あ、ちょっと待って。」私は切りかけた電話を思わず呼び止めてしまった。自分の鼓動が聞こえた。口が乾いた。「私、聞きたいことがあるのよ。」

「なんだよ。」

「お願い、うそをつかないでね。あの、お父さんの家に住んでる嵐っていう子、本当はお父さんの子なの？　本当のことを言って。お母さんには黙ってるから。」

私は言った。この質問ができたことで自分がこんなにほっとしたことに驚いたくらいだった。父は意地悪そうに、

「そんなことだと思ったんだよなあ、やっぱり、おまえたち、会ったな。親の目を盗んで。」

としみじみ言った。

「本当に、偶然だったのよ。」

まるでいいわけをしているようで、私は顔が赤くなった。

「全く、手の早い女だな、母親に言いつけてやるぞ。」

父の口調はまるで重々しく、嘆きのようだったので私は落胆して、

「よしてよ、具合が悪くなっちゃうわ。」

と言った。母が私と嵐を会わせないようにしていたことを聞いたばかりだったからだ。

「ショック療法だ。」と父は笑った。「おまえたち全員、いったい俺をなんだと思ってるんだ。これからはうそしかしゃべらないようにするぞ。あのな、そのお問い合わせは嵐くん本人からもつい昨日きたんだよ。」

「え。」

私はびっくりした。急に心の中のことと現実のピントが合いはじめた気がした。

「再びお答えしよう。俺は、あいつの母親の真砂子とはやってない。いっぺんもだ。手を握ったことすら、ない。それでガキができっこないだろう。あの女は色気違いだったから、嵐が誰の子供かなんて、きっと本人にもわからないんじゃないかな。俺の所に捨てたのは俺に金があったことと、おまえの母親にあてつけたんだろう。あの女は俺と違って少しも優しいところのない奴だった。とにかく正直言って、美しかったから、頼んだことはあった。酔ったはずみかなんかで。でも、結局、やらせてくれなかった。だから、違う。気味は悪いが、おまえらができてしまってもいっこうにかまわんよ。」

父は語った。

「そんなに、いっぺんにあからさまに教えてくれなくても……。」

と答えに困った私が言うと、

「気どるんじゃない、このガキ。」

と父は笑った。私と父の間に、生まれて初めてある種の親密さが生まれたような気がした。私が思っていたよりもずっと父は、まともではないか、と思って私は驚いたのだ。（まともでもなんでもないような気もするけれど）道徳的にはともかく、父の哲学には筋があった。父はウソを言っていない、と私は確信した。

「お父さん。」私はたずねた。「お母さんにもそんな態度で接してるの？」

「あったりまえだ。じゃあな。」

勢いよく電話は切れた。

しばらくの間、私は奇妙な感情に満ちて、すわったまま、電話に手をかけたままで今の会話の意味を反芻していた。

父と初めてまともに会話した恐怖と、妙な喜びの気持ち。息が詰まるほどの緊張。

ああ、私はまだ子供なんだ。なんだかんだいってまだこんなに幼い。そう思った。

そして、案の定、知恵熱のような状態になってしまった母のこと。

私と、あの冴えた目をした青年が、まるで家族のようであっても兄妹ではないということ。嵐も私を気にかけて、父に血のつながりを問い合わせていたこと。

混乱した気持ちがそんなふうにわかりはじめた時、特に最後のは私の心の中にふわっと甘い気持ちを湧き上がらせた。不思議な解放感があった。母のいない、私ひとりの家はますます私の勝手気ままな世界になっていた。今は、私の背の高さに合わせて低くロープが張ってあり、現像した後の写真がずらりと万国旗のように止めてあった。実はとっくに乾いているのだが、そのがさがさと落ち着かない感じがあまりにもかっこ良いので放っておいたのだ。ライトがそれを照らしていくつもの淡い影を作り、ころがるポリタンクと、山のように買いあさった写真の本がじゅうたんの上に点在していた。はじまりの景色、その時の私にはなにもかもが妙にくっきりと明るく見えた。全てのことが、この手のひらで押せば大きく動くような、そんな気さえした。なにもかも、どんな細かいことも、いっせいに未来に向かって開いているようだった。嵐に買ってもらったコスモスが、私の好きな背の高いガラスの花びんに柔らかに咲いていた。

私は、すぐに嵐に電話をかけた。

「おお、妹よ。」

もしもし人魚です、と言った私に、嵐は上機嫌でそう言った。

「本当に、そこに遊びに行ってもいい？」

私は言った。

「うん、いつでもいいよ。明日だろうが、今日だろうが。」

「うん、今日はもう夜になっちゃうから、明日学校の帰りに寄るわ。いい？」

私は、二人がずっと前からこんな会話をしていたように自然な感じで言った。

「うん、いいよ。場所をおぼえてるか？」

嵐は言った。

「うん、坂の上にあるのよね。大丈夫だと思う。行けばわかる。そうねえ、五時にうかがいます。」

言いながら私は幼い記憶の風景を思い浮かべた。子供の頃、恐い所に思えたあの古びた家の、つただらけの壁。鉄の黒くて重い門、門灯は切れっ放しで、割れたガラスの破片をじゃりじゃり踏み越えて、枯葉に埋もれた石段を登ると、玄関へたどり着く。手入れをしていない庭はジャングルと化し、猫がたくさん住んでいた。

「そういえば面白いニュースがあるよ。」

嵐は言った。なんのことだかわかっていた。

「うん、私もあるかもしれない。」

私は笑った。

翌日は、大学で授業を受けている間、ずっと空がどんより曇っていた。かさを持っていなかったので降ってきたら困るな……と思っていると、案の定、となり町の駅に着いて外に出たとたんに大粒の雨がばたばた落ちてきた。みるみるうちに地面が黒く染まってゆく。すごい雨だった。

あまり突然のことで駅の改札の所で人々ががやがや立ち止まり、人の流れがよどみはじめた。なんとなくパニック映画のようで面白かった。私はとりあえず売店の前に立って迷っていた。重い灰色で幾層にも覆われた空から透明な水滴が勢いよくざあざあ音を立てて降る。当分、止みそうもなかった。行きかう人々の足もばたばた速まり、商店街の店は将棋倒しのように次々と店先にビニールシートをかけはじめた。少し迷ったが、走れば五分だ。私は意を決して雨の中に飛び出した。

みるみるうちに私の服や髪が雨水にさらされてぐしゃぐしゃになった。できたばかりの水たまりをばしゃばしゃけとばして、大きく揺れるカーテンのような雨景色の中を闇雲に駆けてゆくと、ふいに肩をつかまれた。濡れた前髪のすきまから見上げると、かさをさした嵐だった。

「雨だから、迎えに来てみたんだが、無駄だったみたいだね。」

私の姿を見て、嵐は笑った。

「いや、ひとりの家に突然女を招くのもよく考えてみると失礼かな、と思ったんだけどそれじゃあしようがない。家に寄って、乾いたらメシでも食いに行こうか。おいしい中華の店があるから。」

私は、そういう礼儀正しさはとても、とてもいいと思った。

「うん、いくら兄妹とはいえ変かなって、私も思った。」

私はふざけて言った。そうしたら、

「いや、兄妹じゃないんだよ。」

と、嵐はさらりと言った。

「知ってる。お父さんに聞いたの。」

と私も言った。それで二人は、二人の持っていた特ダネが同じものだと納得した。二人が同じことを気にしていたことも。そして私は、嵐の差し出したもう一本のかさを開いてさして、ゆるやかにカーブする坂道を登って行った。白いセンターラインも、ガードレールも雨で光っていた。私たちは同じように幸福な気分だったと思う。

父の家は幼い頃にも増して、ものすごかった。玄関ははずれかけていて開ける時、思い切りきしんだ音を立てたし、家の内装は茶とダークグレーに品良く統一されていて、もとはきれいな家だったのかもしれない……と思わせたが「好きな所で好きなことを」した後が雑な感じで家中を覆っていて、床があまり見えなかった。

「片づけよう、とか、直そう、とか思わないの?」

と私はバスタオルで頭をふきながらたずねてみたら、嵐は嬉しそうに、

「そんな大変なことするくらいなら引っ越すほうが早い。」

と言った。二人は意味もなく上機嫌だった。彼が育った家の中を嵐は案内してくれた。

私はあらためて父の人生を考えてしまった。父が私たちを巻き込んでいるのか、私たちが父にひきつけられているのか。でも、あまりにもデーターが足りなくて、よくわからなかった。ただ家の中のちょっとした所、たとえばとても大きな画面のTVや、きちんとハンガーにかかった大きなコートや、テーブルに積まれた本や、そういうものに父の影を感じた。それはものとしてではなく、確かに私の住むあの部屋にもあるように思えた。そして私は今までのように、父を単なる邪魔者としては見なくなっていることを知った。

嵐の部屋はまだ、ましだった。彼の部屋は二階のつきあたりで、扉がなかった。「こわれちゃったからはずしちゃったんだよな。」と嵐は笑った。部屋の中には巨大なオーディオセットと、がっちりした木の机と、たくさんの本があった。窓辺に固くて大きなベッドがあるのに、窓ガラスは古びてひびが入り、ゆがみで全部閉まらず少し開いていた。雨とか入ってこないの？　とたずねたら、雨に降られて目覚める時がある、冬なんか窓のさんとかベッドの頭の所に雪が積もるぞ、と笑った。

野外生活のような人生だわ、と私は思った。こんなの住居じゃない。

それから二人で、駅のそばにある立派な点心の店で、中華をたらふく食べた。外に出ると夜道は雨上がりで黒く光っていたが、ぴかぴか星が出ていた。私たちはすっかり、本当にすっかりうちとけていてなんとなく別れがたく、その後お茶を飲みに行った。

地下にあるその店はちょうど食後のお茶を楽しむ人々で混んでいて、私と嵐はカウンターにすわった。薄暗い店内は淡く流れる音楽とざわめきに満ちていた。私の横にちょうど貝のシェードのランプがあり、手元を明るく照らしていた。お互いの今までの暮らしぶりをおもしろおかしくずっと話していたら、なんだかものすごーく長い長い間、一緒にいたような気がした。

「嵐はなんになりたいの？　お父さんみたいな、なんでもない人になるの？」

私は言った。

「おまえは？」

嵐は言った。

「私？　私は……私のなるようなものになるわ、きっと。」私は言った。なんだそりゃ、と嵐が言うので、私は考えた。「おめかけ以外のものならなんでもいいわ。お母さんのことは大好きだけどね。」

「そ、そうか。」嵐は笑った。「俺は作家になるんだ。」

「ふうん？」意外だったので私はびっくりした。「どういうものを書く人になりたいの？」

「幸福なもの。」

嵐は言った。

「えーと、それってつまり、クリスマスカロルみたいなもの？　それとも、若草物語みたいなもの？」

「もっと、退屈なもの。幼なじみでとなり同士に住んでる二人が成長して結婚するとか、雨の日に拾った小犬が大きくなるまで、とか、そういうの。」

嵐は言った。

本当に退屈そうね、と言うと失礼だと思って私は質問を変えた。

「処女作はどんなの？　読ませてくれる？」

「いや、小学一年の時に書いたからなあ。もう残ってないよ。」

嵐は笑った。

「じゃ、話してみせて。」

華奢なカップに入った熱い紅茶を飲みながら、私は言った。

「わにが莫大な借金を抱えて困ってる話だった。」首をかしげて彼は言った。「かめだったかな。」

「奇抜な設定ね、すごく。」

私は言った。

「子供心にも真剣に、助け合いというテーマに取り組んだ大作だったんだよ。森の中にある小さな湖にわにの夫婦が住んでいるんだが、夫が莫大な借金を抱えてしまったんだ。それで奥さんに言えなくて日夜悩んだあげく、みみずくにだけ打ち明けるんだよな。ふくろうかな。そうするとみみずくがうさぎに、うさぎが山猫に、山猫が狼に……ってどんどん打ち明けていく、その描写がえんえん百匹くらい続くんだ。それで、森の動物はみんな、貧乏だから、全員がちょっとずつわにの所にお金を持っていくわけ。」

「みんなで相談して？」

私が言うと、

「ううん、違う違う。」と真剣に嵐は言った。「内緒でだよ、別々に行くんだ。だからたとえば、『わにさんの所へ行こう、と山猫は思いました。手元にはお金が五円しかありません、それでもいてもたってもいられなくなって、真夜中の森へ飛び出して行きました』みたいな感じ、適当だけどな。本当はもっと細かくて、泣かせるんだ。」

「うん。」

私はうなずいた。嵐は続けた。

「それでその百匹が森に向かう描写がえんえん、また続くわけさ。それでみんな暗い湖のほとりに置いていくの。顔を合わせちゃう奴とか、森の悪者が来てるのを物陰から見て感動する奴とか、いろいろあって、翌朝わにがたくさんのお金を見つけて感激するんだ。しかもお金がバラバラで、お札もあれば、小銭もあるでしょ、だから『これは森のみんながくれた』って涙しながら妻に打ち明けるの、お金を見せてね。それでその日、わにの奥さんが森のみんなにお花を配って歩くんだよ。そういう話だった。」

「いいお話ね。」私は言った。なんだか涙がこぼれそうな気持ちになった。彼の生いたちが、そういう夢を見させるとしたなら、私は彼の心がけがとても愛しかった。だから、そんな物語を心に抱えていた幼い嵐があの時、やっぱり家に引き取られてきて、ずっと一緒にいてあげられたらよかったのにと思った。

「だろう？　なあ、いいお話だよな！」

大きく瞳を見開いて、大きな声で言いながら彼は私を見た。

「なのに先生は百匹出てくるところが手抜きだって言うんだぜ——。夏休みの宿題だっていうことを忘れるほど力を入れて書いたのに、ページを埋めるためにえんえん動物の名前を書くな、とか言われてさ、評価がＡＢＣのＣでさ、俺は自分で感動して涙が出るくらいだったから、すげえ腹立った。まあ、俺の力不足だったんだろう。」

本当に嵐はくやしそうだった。私は言った。

「先生が間違ってるよ。そういう先生が子供の才能を殺すんだわ、私だったらＡに花丸をつけて、みんなに読んで聞かせちゃう。」

「でも俺、先生に嫌われてたし。ムチャクチャやるから。仕方なかったかもな。」

と言いながらも、嵐は嬉しそうだった。

「でも、きっと嵐はいい作家になるわ。」

私は言った。

「そう思う？」

彼は笑って言い、私も笑って、

「思う。」

とうなずいた。心から彼をいいと思った。


雨のよく降る秋だった。

私と嵐はしょっちゅう会うようになった。まるで会えなかった長い期間を取り戻すような感じだった。ただ会って、時間を重ねてゆくことが重要だった。それに、二人で同じ部屋にいて、どう考えてもお互いに好感以上のものを持っているのに、私たちはなにもしなかった。

多分、親が同じだからだと思う。

「いつか四人で食卓を囲むこともあるんだろうか。」

とふいに嵐が言ったのはいつだったか、夜道だった。にぎやかな駅前広場の、噴水の所ではしゃぐ子供たちとその両親とすれ違った時のことだった。

私ははっとして嵐を見上げた。彼はなんだか不思議そうな、釈然としない顔をしていた。小さい子供のような頼りない表情だった。私もその場面を想像してみた。父と母と嵐と私で、たとえばあの汚い家の、大きなテーブルで。それは悪夢のように不自然でもあり、決してかなわない夢のように明るく温かい家族の肖像のようでもあった。

「そんなことを言われるとなんだか不倫の恋をしているような気分になるわ。」

と言った私の声が、夜に響いた。虹色にしぶきを上げて落ちてくる噴水の水が、鮮やかに光って見えた。なんだかとても淋しげに、輝いて見えた。きらきら光る水が闇の中で黒く澄んでいるのをじっと見ていた。

正直に言えば私は処女ではなかったし、それまでの人生を聞いてみると、笑うほほがぴくぴく引きつってしまうくらいに彼もそうではないらしかった。だから二人の生活に性愛が取り入れられた場面も容易に想像できた。結構甘い、いい感じだと思った。

でも、なにもなかった。

もしかすると私も嵐も、幼い頃からなんとなく、いつの間にか心のどこかでその悪夢のような「家族の風景」を夢見続けてきたからかもしれない。

こんなこともあった。

その日私は嵐の家に向かって急いで商店街を抜けて行った。午後早くの店々には人もまばらで、妙にしんとしていた。空も、はかないようなうっすら白い雲がはるかにベールのようにかかった静かな青色をたたえていた。透明な液体がそっとこぼれてしまいそうな不思議な青だった。

商店街のはずれの所を通った時、「おい」と呼び止める声がした。見ると、果物(くだもの)屋のレジに嵐がすわっていた。

「なにしてるの?」

びっくりして私は言った。

「店番頼まれてるんだよ、おまえも入って働いていけ。」

「うん。」

と私は店の中へ入っていった。生き生きとした果実(くだもの)の青くさい匂いが満ちていた。明るいライトに照らされてぎっしりと並ぶ鮮やかな赤やオレンジや黄がまぶしくて、南国にいるようだった。

「なに? バイトなの、これは。」

嵐のとなりに丸い椅子を出してすわりながら私は言った。

「違う、俺はこう見えても力持ちの働き者として昔から町内では重宝されているんだ。」

「人気者なのね。」

「そう、今、ここんちのおばさんが入院してて、おじさんが見舞いに行ってんだよ。」

変な感じだった。店の中はとても明るく照らされていて、ケースの中には美しい果物がそっとおさまっているし、台には色とりどりのリンゴやキウイやグレープフルーツがずらりと並んでいる。店ののき先の向こうには午後の光に満ちた町がきちんと切り取られて見え、道行く人の足がゆっくり横切ってゆく。二人はそんな静かな店の奥にすわって、淡々と会話している。

「レジ打てるの？」

「ううん。」

「私、打てるわ。」

「じゃあ客が来たら頼むよ。」

私たちのひとことひとことに、店中の黙り込んでいる果物たちが耳を傾けているような気がした。

「退屈しないか？　リンゴでも食うか？」

嵐が言った。

「いけないと思うわ。店先で店のものを店員が食い散らかしてるのって。」私は笑った。

「いいの、留守番には慣れてるから。」

「そうか、カギっ子だもんな。」

　嵐は言った。

「嵐だって、そうじゃない。」

「……おまえみたいに、きちんと帰ってくるものを待つのが留守番って言うんだ。俺はほとんどひとり暮らしだったよ。親父なんて帰ってきやしないんだから。」

「うちの母も若い頃は、お父さんにくっついていったまま何日も帰ってこなかったわ。」

「カギっ子対談。」と嵐は笑った。「でも女は夜中ひとりで外に行けなくてつまんないな。俺は中学くらいから、いつも出歩いてたからね。」

「うん、でも我ながら家でするひとり遊びの才能はすごいと思う。ひとりでいつまで遊んでても、全然飽きない。名曲テープ作ったり、模様替えをしたり、TV観たり。それで、じゃまされるとすごく腹が立つの。」

「おまえ、それはもしかしておめかけさんタイプなんじゃないの。」

「よしてよ。」

「しかし、なんかかわいそうな気もするな、片寄って大きくなったような感じがする。」

嵐が言った。

「嵐も同じよ。」

あの童話を思い出して、私は言った。

「妙に大人びてるしな。子供じみてるところもあるし。」

嵐は言った。

「ひとりっ子だから。本当にひとりっ子だから。」

私は言った。その意味は伝わらなかったとは思うけれど嵐は、

「会えてよかったね。」

と目を細めた。

「うん。」

私は言った。本当に会えてよかったとあらためて思い、涙が出た。嵐は黙って私の肩を抱いたがそれは本当の兄妹としての感情に満ちた温かいしぐさだった。私は心から彼を兄だと思った。やっとめぐり合えた兄だと。

店の中はまるで珊瑚礁（さんごしょう）の海のように明るく澄（す）んで静かだった。私はしばらく嵐の肩にもたれて、棚に並ぶ缶詰めの色彩を見ていた。

そして私は、父も、母も、嵐も、私も同じように業（ごう）の深い、切ない人間だと思った。

その時もそうだった。出会った時からずっと、二人はいつでも二人きりで満天の星空の下にいるような気がした。暗く光るオーロラに照らされて、遠い氷河を見つめているようだった。毎日が普通に過ぎてゆくのとは全く違う所で、その感情はいつもあった。二人でいると、なにもしていなくても、ただ歩いていることも極めて重要なシーンなように思えた。そしていつもなんとなく悲しいような感じがした。

かけ値なしの、そんな感情を私は他人に対して初めて抱いた。なんのフィルターも、余分な気持ちのごちゃごちゃもない、まっさらの感情。嵐といると、私は自分が生物だと、思えた。そんなことを今までの人生で実感したことはない。私はこの気持ちを見極めたい、と思った。じっくりと見極めたいと。

でも出会ってすぐに、二人がいったん別れることになってしまうことは、予測できなかった。

その日はすごく晴れて、少し冷たい風が吹いていた。私と嵐は、嵐の家の屋根でふとんを干していた。

人がおもしとして乗っていないと、ふとんは屋根より汚い庭に風で落ちてしまうので、私がかけぶとんにすわっていた。嵐は毛布の上に寝ころんでいた。

景色がすごかった。危うい場所で見るとかくも風景とは美しく見えるものかと、髪の毛が強くなびくごとに、ふとんが少しすべるごとに、私は思った。嵐はいつの間にか本当に眠っていて、私は彼がふいにころげ落ちるのがこわくて、なんとなくムダではあってもかかとで彼のセーターのはしを踏んでいた。それで、本当になんとなくだけれど、ハンカチを敷いてあると和姦になる、という話に似てる気がしてひとりで笑った。

見降ろす庭は遠く深く緑が重なり、赤や黄に染まりかけた紅葉が混ざって見えた。その中を時々猫ががさごそ通って行った。はるか快晴の空の下には、家々の屋根がごちゃごちゃした色彩で続き、遠くに目立って見える小学校の屋上にはグリーンのネットが揺れて、体育をしている子供たちの声が風に乗ってはっきりと聞こえてきた。空は湖のように静かな青で、吸い込まれそうに遠く開けて見えた。風に吹かれて私は秋だわ、と思った。薄い雲がどんどん通り過ぎてゆく。

眠る嵐の額にも、前髪がそよそよ揺れていた。私は嵐の寝顔は美しいと思う。意外に長いまつげや、整った鼻すじを無限に見ていたい。

ふいに目を閉じたまま嵐が言った。

「親父から手紙が来たんだ。おまえのお母さんが相当まいってるらしいんだ。」

「え?」

私は全然知らなかったので驚いた。このあいだ来たハガキに「元気です」と書いてあったのだから。嵐は目を開けた。私は言った。

「お母さん、そんなに？　どうしてなの？」

「環境が急に変化するっていうのは精神状態にも影響するからね。それにあの親父と四六時中一緒にいたら、きっと俺だって変になってしまうよ。あちこち出かけて体もまいってるらしいし、あの親父がそう言うくらいだから、相当なんだと思う。それでも帰らないっていう決意だけはものすごいらしくてね。……俺が行って、入れ替わりに帰らせることにした。」

嵐は寝ころんだまま空を見つめて言った。

「嵐が行くの？」

その事実はいきなり私を不安の海へ押し出した。

「うん、俺が行って、二人の間に入って、親父の『心の言葉』みたいなのをいちいち翻訳してやれば、おまえのお母さんも少しは安心するんじゃないかな。親父はバカだから、心配して日本へ帰そうとして、ますます口が悪くなってるんだろうな。自分が心配していることすら認めたくないのかもな。それが裏目に出てお母さんはますます意地になってるんだよ、きっと。とにかく放っておいたら悪いことになるのは確実だ。全く。」

と言って嵐は横顔で少し笑った。

「お母さんも、意気込みがから回りしたのね。あの人は山の生活にむいてないもの。」

と言ってみてから私は気づいた。

「嵐、外国は日本じゃないのよ。」

「知ってらあ、ばかにすんな。」

きょとんとして嵐は言った。

「違うの、つまり、パスポートは？　ビザは？」

私は言った。

「実はもう、あるんだ。」

嵐はゆっくりと起き上がり、すわり直して私を見た。かなりまっすぐに見た。決心して、告白するという感じだった。

「本当は俺もすぐ行くはずだったんだ。おまえと会ったもので出発をつい延ばしてしまったということさ。」

私はあらゆる方面からショックを受けた。そして、しばらく沈黙してからそれをひとことで表現した。

「そうだったの。」

「そうだったんだ。だから、これを機会に行って、しばらく遊んでくるけど、お母さんのことは必ずきちんと様子を見てだめなら送り返すようにするから、安心しろ。……本当にあの親父には苦労するなあ、俺たちみんな。」

嵐は庭や街並(まちなみ)を見つめて笑った。少し傷ついたような、淋(さび)しそうなような、妙にやさしい顔だった。私も並んで遠くを見ていた。淡い陽の光が手足を照らして金色のベールのようにうっすらと温かかった。

「おっ、あそこ、猫が通ってるぞ。」

嵐が言った。

「とらじまの、よく見かける奴ね。」私は言った。「淋しくなるね。」

「長い目で見ろよ。大丈夫だよ。そんなこと言ってたら俺たちはまだ若くて、いろんなことがある、これから。いいか、本当にお互い気に入ってるってことはな。」

「うん。」

どきどきした。嵐の、決定的なもの言いはいつも私をどきどきさせた。それにそういう、愛の言葉のようなものは彼の口から初めて出たのだった。

「うまくいっちゃうもんなんだよ、きっと。無理とかしなくても。だめなもんはなにしてもだめになるし、うまくいくものはどうやっても、うまくいくよ。また帰ってくるし、帰ってきた時におまえに男ができてても、怒らないよ。そのかわり、奪い返そうとするかもしれないけど。」

そう言って彼は笑った。つまり、彼はここにとどまるほどには心を決めてない、まだ私をそれほどには本気で好きなわけではないんだ。というのが、事実としてわかった。がっかりした。

でもそのかわり、ある強い感情が立ち上がってきた。それは、この世にたったひとりずつの個人と個人の、私と、嵐の間にたった一種類しかないなにか、他の誰との間にも起こりえず、今ここにあって手にとれるほどリアルななにかは、決して消えないという真実の感触だった。だから私はただ、

「そうね。」と笑った。「ねえ、秋が深くなるとこの庭で紅葉が見物できるの？」

「うん、きれいに色づくよ。」

と言って嵐は庭に千代紙のようにちりばめられた赤を指さした。その頃には彼はここにいないんだなあ、と私はぼんやり思った。気が、遠くなるような淋しさがゆっくりと胸に満ちてきた。

数日後の夜、自宅でTVを観ていたら、突然さゆりという友人が訪ねてきた。

彼女はいわゆる幼なじみで、私の住むマンションの上の階に住んでいた。子供の頃はよく母が留守の時に、さゆりの家に泊めてもらったものだ。さゆりの家は普通の三人家族だったが、誰もうちの母の境遇に眉(まゆ)をしかめたりしない。だから、よく団欒(だんらん)に混ぜてもらって嬉しかった。やさしい両親に偏見なく育てられたさゆりは快活で背が高く、目がぱっちりしている。よく夜、ひまだと急に訪ねてくるのだ。玄関に立った彼女はパジャマの上にジャケットをはおって、サンダルをはいていた。

「おじゃましまーす。」

と言うさゆりに、

「いつも、そんな恰好(かっこう)で来てたっけ？」

と言うと。

「そう。変？」

と家に上がってきた。

「団地妻の浮気みたい。」

と私は笑った。久しぶりにさゆりに会ったら、嵐に会う前ののどかな生活の実感が突如よみがえってきて明るい気持ちになった。嵐のことでかなりふさいでいたのだ。私はさゆりを和室に通してお茶を運んでいった。

和室は母の部屋で、母はかなりいろいろなものを向こうへ持っていってしまったので、結構がらんとしていた。私が入って行くとさゆりは目を丸くして私を見上げ、

「人魚、おばさん、本気だったんだね。」

と言った。

「部屋が、そのまま外国に行っちゃったみたいじゃない。」

「そうなのよ。」

ちゃぶ台にお茶を出して私はうなずいた。

「やる時はやる、と思ってたけど……まあ、すごい勇気だね。人魚、もしおばさん帰ってこなかったら、どうするのよ。それとか、帰ってきたら親子三人で暮らすとか言い出したりしてさあ。」

さゆりは笑ってそう言ったが、私は〝そうか、もとから家族は四人なんだ〟と思って茫然としてしまった。今さらながら私と嵐の位置は運命的なものだと、思う。おとぎ話のような運命ではなく、出会わないはずのないという意味でだ。

「お母さんがお父さんを本当に愛してるみたいなのは、昔からだものね。仕方がないと思うわ。私も養ってもらっているし、決定権はお父さんにあるのよ、ずっと、多分。」

そういう意味では家は立派なような気もした。家父長制度だわ、と私は初めて考えた。

今までどうして、父と母と私と、会ったことのない嵐との関係を考えたことがなかったのか、我ながら不思議だと思った。

「人魚のお父さんって、すごいんでしょ?」

嬉しそうに楽しそうにさゆりが言った。

「すごい、すごい。もう、めちゃめちゃよ。絶対、一緒には住めない。やっぱり。」

私も笑ってそう言った。

「一緒に住まないで初めて成り立つっていうのが、すごいね。」

さゆりは言った。

「なりゆきよ。いつの間にかね。」

私は言った。なぜか嵐の顔が浮かんだ。ああ明日会いに行ったら、とりあえず二人は離ればなれになるのだ。あさって、嵐は発(た)つ。

「あっ、これ誰!」

さゆりは勝手知った態度でTVをつけようと手をのばした姿勢で床から写真を拾い上げた。見ると、焼きつけを失敗してぽいと捨てたはずの嵐の写真だった。彼の家の庭で撮(と)ったもので、濃く茂る草木をバックにして、しかめ面をした嵐が写っていた。そうして見ると妙に彼は存在感があり、孤独な目をしている、全く知らない人のように見えた。

「それ、恋人。」

私は照れ笑いをしながら言ってみた。

「あら、まあ、そう。」

私の今までの恋愛のあらかたを知っているさゆりは品定めするように写真を見てから、こう言った。

「きびしい感じの、人だね。」

――さゆりの目を通して出会う嵐は、私の初めて見る嵐で、瞬間私はまた彼に恋をする。失望も欲望も、あらゆる角度から彼をくり返し発見して、くり返し恋をする。そして、こういう恋はもう後戻りできないことを、くり返し知る。

「ああ、あたし、あんたたちを見かけたことあるわ。」

さゆりが言った。

「え、いつ？」

私はびっくりして言った。

「ええと、あれは……。とにかく夕方、急に雨が降ってきた時よ。ちょうどあたしもデートしてて、となり町のさ、裏通りにある小さいレストランさあ、ガラス張りの。あそこにいたのよ。雨の中をダッシュしてくるバカみたいな女がいるわ、と思って見てたら人魚でさ、ああっ！　とか言ったとたんこの写真の男の人が人魚を呼び止めて。そうそう、ものすごく優しい顔で人魚のことを見てたよ。人魚もさ、ふだんすましてるくせに、犬っころみたいに無邪気な感じでかわいく笑っちゃってさ、なあんだ、そう。うまくいってるのね。」

　さゆりは微笑んだ。

　いろいろなことがなんとなく心細く思えていた私の瞳にはその笑顔が、私たちの初めの瞬間を目撃していてくれたさゆりの、耳に小さく光るピアスが、長いまつげが、赤いくちびるの笑ったかたちが、まるで女神様のように力強く見えた。

「うん、なんだかこの恋は、時間や気持ちをとっても費やしそうな気がするの。」

　と私は言った。

「がんばろうね！」

　と、いつも元気で前向きな彼女は胸のところでこぶしを握るという、くさいポーズをしてそう言った。

　私は嬉しかった。こういう瞬間に、はっとわかる。確信できる。私の人生が動きはじめている、絶対に動いている。今までよりずっと多くのことが飛び込んできて、揺れが止まらない。きっと、私はわかりはじめている、この見方でもっとたくさんのものを見たい、と私は思った。良いものも、汚いものも、過去も未来も、なんでもかんでもきちんとこの目で見てみたいと生まれて初めて心の底から思ったのだ。

翌日は雨だった。

ざあざあと降ってくる雨音の中で、嵐の家で、嵐の準備を手伝った。と言っても、私はもっぱら部屋にいつの間にか増殖した私の荷物をまとめていた。

嵐の部屋の床にすわって、二人は背中を向けてそれぞれの片づけに専念していた。開け放した窓の向こうには雨に煙る街と、グレーにかすんでゆく坂道が見えた。庭木は濡れて濃く映り、湿った草の強い香りが届く。まるで植物園の中にいるような匂いだった。じゅうたんに置いた冷めたコーヒーを飲みながら、二人は手を止めず作業した。

「このセーター、やろうか。」

「ほんと？　嬉しい。じゃあ、このテープあげる。」

「おお、そういえばおまえ、充電できるウォークマン持ってたよな。あれ、外国はだめなのかな……、ま、いいや。貸してくんないか。」

「いいわよ。」

というような会話を、雨音と、部屋に沈む静かな音楽の間で淡々と交していた。なんとなく水槽の中にいるような気もした。雨に、閉じ込められて。

「おっ、古いものが出てきた。」

嵐がクロゼットの奥をさぐって、しばってある雑誌のひと山をどすん、と放ってよこした。ほこりが立ち、私は息を止めて、

「なに、それ。」

と眉をしかめて言った。

「いいかぁ。」嵐は楽しそうに言ってハサミでひもを切り、一冊をめくりはじめた。

重みで本はゆがみ、色も古びていた。

「ほら。」

と嵐が示したそのグラビアには不器用に微笑(ほほえ)む変に固いポーズの女性が黒いドレスを着て写っていた。下手くそなモデル……と思ってよくよく見ると、母だった。

「うわ、お母さんだ。」

私はびっくりして言った。

「若いだろう。」嵐はげらげら笑った。「モデルにむいてないのが丸見えな上に、生活能力もなさそうで、このままいくと田舎(いなか)に帰るのは目に見えているからあわれで囲ってやったんだって、親父が言ってたよ。」

「優しいんだかなんだかわからないわね。」私は言った。「じゃあ、どうして結婚してあげないのかしら。」

写真の若い母はおっとりと美しかった。

「本当はあいつまじめだし、お坊ちゃまなのにな、人もいいし、身持ちも案外固いし、本当に見た目だけだよ、豪快なのは。本当にひどい奴って同じ女をずっと養ったりしないよ。」

「じゃあ、どうして？」

「女は安心するとブスになる、あいつはそうなるとなんの価値もない女だからなって、俺じゃないよ、親父が言ったんだ。」

「むちゃくちゃねえ。きっと自分が本当はどういう人なのか、自分でわかってないのね。」と言いながらその古い雑誌のページをめくっていた私は、あるページに写っている、真っ赤なワンピースを着たエキセントリックな美女に目が止まった。そのきついまなざしを、すっと伸びた背すじを、鼻の形を、私はよく知っていた。私にはすぐにわかった。

「嵐、この人……。」

と私が言う間もなく、

「それは俺のお母さんだよ。」あっけらかんと嵐は言った。「とてもきれいだろ？　懐かしいよ。」

私と嵐はお互いの今までについて、いろいろなことを話した。でも、彼の母について、彼はひとことも発言したことなんかなかったので、私は本当にたまげた。話したくないのだと信じ込んでいたのだ。

「嵐、だって、憎んでるんじゃないの？」

私は勢いよく言ってしまった。嵐は怒ったような真顔で言った。

「いや、あの母がとんでもない女だとは俺も思ってる。美化なんてしてない。どうしようもなくほれっぽいし、身勝手で、わがままで、美しいのを鼻にかけて。ここの家の庭にぽいと捨てられて、死ぬほど悲しかったこともちゃんとおぼえている。あいつ、あの性格では今頃どこかで野たれ死んでるんじゃないかな。そんなのも知ったこっちゃない。」そして、写真の彼女を見て続けた。「でも、俺にはとても優しくていつもきれいだったよ。人は、親切にされた思い出は忘れないものだからね。」

私はショックを受けた。こんなに近くにいても、どんなに優しく過ごしても、彼の心の一部はまだ、夜よりもずっと暗い、取り返しのつかない深い所にひとりでとどまっていて、その暗黒には誰もたどり着けないのだ。とふいにその時思い知らされたような気がした。

写真のその人に、私の細いうでや長くてちぢれた髪の感じはほんの少しだけ似ているかもしれなかった。そういうことが少しずつ、いつの間にかその闇に届くことがあるとしたら、それはとてもいいことかもしれないと私は感じた。そう思って、

「私の髪の毛を百万回くらい触ってもいいよ。本当よ。」

と私は言った。

「おまえ、なんだかわかんないけど、話が全然関係ないよ。」

と嵐は笑ったが、なにかが伝わったに違いなかった。ちょっと見つめ合ってから、どちらともなく近づいて、私たちは一回だけ軽いキスをした。ほんの短い間だった。それでも今度は兄妹としてではなかった。

「続きは帰ってきてからな。」

と言って、嵐は笑い、私はうん、とうなずいた。

夕方、タクシーを呼んで私は湿った空気の中、多くなってしまった荷物を抱えて車に乗り込み、住所を告げた。嵐にじゃあね、と笑ってドアが閉まり、車は走り出した。濡れた車窓を振り向くと、門の所でセーター一枚の嵐がポケットに手を突っ込んで立ちつくし、雨に打たれて見送っているのが見えた。私はその時、遠去かる車の中で一瞬だけ彼を捨てた母の気持ちになった。それはとてもつらく、あと味の悪いいやな気持ちだった。

嵐が向こうに着いて何日かしたと思われる頃、母から電話がかかってきた。

母は感情のないか細い声で、

「とにかく、帰るわ。」

と言ったきり、時差はどれくらい？　とか調子はどう？　とか聞いても答えが全くない。ただ、

「うん、とにかく帰るわ。」

と言うだけだった。私は時報や天気予報と話しているような気がしてしまって空しくなり、仕方なく、

「とにかく、帰ってきて。待ってるから。」と言った。母はそうとう疲れているようだなと思った。そしておそるおそる「嵐は？　どうしてる？」とたずねた。

「うん、はじめは空気に慣れなかったみたいだけど、今や、水を得た魚のように飛び回っているわよ。」

母の声には精気というものが全くもう、全然なくて、私を本当に悲しくさせた。母が帰ってくるかもしれないというのでロープを取り払ってしまい、がらんと片づいた部屋のソファーに埋もれて、私はどんどん暗い気分になった。

「ちょっと、嵐に替わってみてくれる？」

私は言った。

「はい、はい。」

母はごとりと受話器を置いた。しばらくして、

「おーす！」

と山の息吹が伝わってきそうなすがすがしい声で嵐が出てきた。

「元気そうね。」

「うん、こっちは景色がすごいぞ。」

「いいなあ。」

「今度、来てみろよ。あ、お母さんはちゃんと飛行機に乗せるからね。」

「よろしくね。電話って……空しいわね。」

「絵に書いたモチのようなものだな。」

「じゃあ、またね。」

「うん、じゃあ。」

そのくらいの会話でも、そう言って電話を切ったら私は、がっくりきてしまった。なにもやる気が起こらなくなってしまった。

人を好きになることは本当にかなしい。かなしさのあまり、その他のいろんなかなしい

ことまで知ってしまう。果てがない。嵐がいても淋しい、いなくてももっと淋しい。いつか別の恋をするかもしれないことも、ごはんを食べるのも、散歩するのもみんなかなしい。これを全部〝嬉しい〟に置き換えることができることも、ものすごい。

まるでぬくもりが残っているかのような電話を見つめながら、私は思った。

そしてただうとうとと夢の中で眠っていればよかった嵐と出会う前の日々にたまらない郷愁を感じた。あの頃の私は本当になにもしなくていい、なんにも傷つかない幸せな子供だったのだ。


その日、夕方のTVを観ながら、ボンカレーを食べて寝そべっていたら、ピンポーン、とドアチャイムが鳴った。さゆりったらなんなの、あ、夕飯に呼んでくれるのかな、えへへ、と言いながら玄関に出ていったら、カギが勝手にガチャガチャ開いて、

「ただいま。」

と大荷物の母がやつれた顔をして入ってきたのだ。私はしばらく口もきけなかった。

「人魚、ただいま。」

と母は力なく微笑んで言った。私は、

「お母さん、どうして？　電話くれれば迎えに行ったのに、空港まで。」

と言った。

「うん、面倒だったから帰ってきちゃった。」

とまるでそこいらへんから帰ってきたかのような口調で言うと、トランクをがらがらころがして部屋によいしょ、と押し込んだ。

「ボンカレーでよかったら、あるけど。」

私はまだどぎまぎして言った。母は暗い口調で、

「うーん、おなかすいてないから……寝るわ。」

と言うと、自分の部屋にまっすぐ向かってふとんを敷きはじめた。

「お母さん、お茶。」

あわてて私が日本茶を持っていくと、もうすっかり寝まきに着替えてふとんに入った母は、だるそうに起き上がって熱いお茶をどんどん飲んで、

「日本のお茶はおいしい。」

と言って、ひとつぶ涙をこぼした。

私は動揺してしまい、どう対処していいかよくわからなくなった。

「カトマンズはどんな所だったの？」

私は言った。

「うん、古くて、ごちゃごちゃしてて、街並が赤茶けてて……ただの外国よ。」

母は言った。

「ホテルは?」

「ええ、きちんとしていたわ。食事も別にまずくなかったし。」

「山は?」

「あったわ。」

「きれいだった?」

「ええ。」

「お父さんは?」

「ずっと元気だったわ。」

これではまるで百問百答のようでらちがあかない。全く答えようという意志が感じられない。なにに対して母がこんなに疲れてしまったのかわからなかった。きっと母にもわからなくて、そのことがたまらなく不安だったのだろう、と私は思った。それで、

「いったい、なにがあったのよ。」

と言った。

「なんでもないの。本当に、なにがあったわけでもないのよ。」

と母は空ろに言った。

「ただ、ちょっと、なんていうか……新しいことが多すぎて、なにか……。うーん……。眠いわ。自分でもよくわからなくて。」

私はうんうん、うなずきながら困ってしまった。生まれてこのかた、そんな母を見たことがなかったのだ。母はすぐ落ち込んだり、口ではいろいろ言うが、風にしなる柳の枝のように強かった。泣きながらも眠る前にはパックをしたり、食欲がないと言って夕食を抜いても夜中ひとりでお茶漬を食べているような、情けないくらい丈夫な心を持っていた。だから私は母がそんなふうだと、自分が小さな子供になってしまったような心細い気分になった。

「人魚、インスタントじゃないものや、お野菜を食べなさい。」

母が言った。え？　と私が顔を上げると、

「いい加減な食生活をしてたんでしょう。肌が荒れてるわよ。」

母は私を見つめて、力なく言った。そのような状態の人にそんなアドバイスをされると、私は、いっそう小さくなってしまうような気がした。だから、はい、そうする。と言って、部屋から出た。ふすまを閉めながら見たら、母はすぐくたくたと横になってしまうところだった。

それから二、三日、母は眠りに眠った。

なにも語らず、持っていった食事をぼそぼそ食べて、笑いもせずにちょっとTVを観て、またふとんに入ってしまった。そして、頭痛がするとか、熱っぽいとか言ってみたり、かと思うと夜中の三時に突然レコードをかけてみたりするので、結構、こわかった。母は精気というものを山の彼方に置いてきてしまったようだった。なにに対してかわからないけれど、眠って時間をかせいでいるようにも見えた。

それでもある夕方、私が学校から帰ってみると母は台所に立ち、すき焼きを作っていた。

私はその後姿に仰天して、

「もう起きていいの?」

と言った。

「だって、いつまでも寝てても仕方ないでしょう。」

と母は笑った。決して元気になったわけじゃないんだとわかるような、作った笑顔だった。あわててテーブルの上を片づけて、はしを出したり、ごはんをよそったりしながら私は、

「もう少し寝てていいのに。」

と言った。母が食事を作るスピードは前と違ってゾンビのテンポだったからだ。

焼き豆腐を、ゆっくり、ゆっくり切っている。私は悲しくなってしまった。これではまるで日常に戻るためのつらいリハビリのようだ。

それでもでき上がったすき焼きをテーブルの上に運びながら母はつぶやくように言った。

「人魚、お母さん、もう、だめかも。」

「なによ。」

私はあわててそう言った。

「なにをする気も、起こらないのよ。ごはんを食べることも、買物も、なんだかこわいの。」

母はそう言った。

「お父さんが帰ってくることも？」

思い切って私はそうたずねてみた。母は返事のかわりに眉をしかめて、ものすごく〝いやな顔〟をした。

「どうして？　まさか、もうお父さんに失望してしまったの？」

私はそれこそこわくなって聞いた。母が、

「まさか。」と言ったので私はほっとした。母は続けた。

「ただ、お父さんには、あんまりにもネパールが似合って、楽しそうで、毎日山に出かけたり、飲んだり、食べたり、ものすごくのびのびとして……あの人、本当に、もう帰らないかもしれない。日本に。そう思ったらね。でもお母さん……あそこには住めない。うん、今、少し混乱しているの。」

「とにかく食事にしましょう。」

私は言った。母はしぶしぶはしを取った。

「食べて、元気になったら冬服でも見に行こう。ね。歩きたくなかったら車椅子に乗せてあげるからさあ。」

私が明るく言うと、母はにこり、と笑ってすき焼きを食べはじめた。

前日さゆりに母の様子を話したら、さゆりは真剣に考え込んで、

「無理な人生の無理がまとめてでちゃったのかしら。」

と言った。私もそんな気がする、とは言ったものの内心は認めたくなかった。今まで母はとても、楽しくて仕方なさそうに生きていたのだ。母には年齢があまりなくて、いつも花のようだった。それはこの生活がもたらした若さだった。旅立つ時、母は珍しくGパンなんてはいて、ほほは上気して、瞳がきらきらしていて異様に美しく活気にあふれていた。まるで若い頃に撮ったと言って昔、見せてくれた女子高時代のハイキング写真のようだった。

あの輝きが、どこにもたどり着かないなんてことがあるのだろうか。

母娘二人で、この小さな箱のようなマンションで明るく暮らしてきた。なにも変わったことは起こらなかったし、永遠に続くものだとさえ思えた。でも全てはバランスだったのだ。こんなにも危ういものの上に成り立っていたのだ。今、それが崩れるのかもしれなかった。今まで、こんなふうに不安になったことはなかったのに、と思って初めて本当に父の存在感を知った。私が大丈夫だったのは母がしっかりしていたからにすぎない。そして母は、父に支えられていたのだ。こんなにも、私たちは家族だった。父は必要な人だった。

嵐に会いたい、と私は思った。たとえ親切にしてくれなくてもいい。ただ、あの笑顔が生で見たい。ただ、それだけ。

秋はますます深い。無人の嵐の家では今頃、庭の紅葉が真っ赤に色づいて月明かりに照らされているのだろうか。

「ごちそう様。」

と食器を水につけて、母はまた自分の部屋に戻って、ふとんに入ってしまった。ボールの水の底に食器が落ちるごとん、という音を聞いた時、私は、私まで変になりそうな暗い気分になった。

その夕方、私は喫茶店で嵐に手紙を書いていた。なにもないよりは少しは私のことを思い出すだろうと思ってハガキは書いたのだが、なんだか物足りなくて手紙を書きたい気分になったのだ。

そこは初めて夜、嵐とお茶を飲んだ店だった。テーブルに向かい、薄明かりの中で私はびんせんにひたすら長い手紙を書いていた。

母はますますひどかった。あまりにも眠りすぎるし、食欲もなく、いつもふさぎ込んでいる。普通、人があんなに眠るはずがないのだ。前日、食事を枕元にそっと置いたら母はびくっと目覚めて、

「ああ、あたし、帰ってきちゃったんだわねえ、もう。」

とまるで墓場の底から出てくるような落胆した声で言った。

「山の夢見てたわ。」と。

私は朝、思い切って母に内緒で北海道にある母の実家に電話を入れていた。理由は言わず、母もなにか悩みがあるようだし、私も会いたいしと言っておばあちゃんを呼んだのだ。母はひとり娘なので、親の前ではとりあえずしゃんとする。

それは非常にあと味の悪い作業だった。誰かれかまわずだましているようだ。おばあちゃんは嬉しそうに、おみやげ持ってくね、と言った。母はもしかしたら、いっときしゃん

としてもその後、がくん、とくるかもしれなくて、私はこわかった。でもなによりも、母がこのままSFのようにふとんの中でゼリーになってしまいそうなのが、最もこわかった。嵐への手紙に、いつの間にか、そんなことまでずるずると書いてしまって、それがどんどんエスカレートして日記を書いているような文面になってきた。

静かな店の、ドライフラワーの脇のその席で私は何枚も何枚も手紙を書き、読み返しては丸めて放り出した。どうして手紙とは書くそばからうそになるのか。なにか魔法でもあるのか、と私はいらいらしながら思った。

嵐、元気？　ではじまって、ではごきげんよう。それで結局は、で終わるようなシンプルな、ハガキのような文面になってしまった。それがいちばん良いように結局は思えた。

さて帰りましょう、と思った私は、ペンや封筒や、書き損じのゴミの山が散乱する机の上を片づけはじめた。そして、ポットにまだ少しお茶が残っていたことに、ふと、気づいた。

もうすっかり冷めていて少しも飲みたくなかったのに、どうしてだか私はその白いポットからカップにお茶を注いだ。

ほんの、はずみだった。ちょっと角度をつけすぎて、ポットのふたががしゃ、とカップの中に落ちてしまった。とっさに、あんなに苦労したんだからと書き終えた手紙の入った封筒をさっと引いたら、お皿ごとカップが床に落ち、もちろんカップの中に入っていたポットのふたも落ちて、ばっしゃーん、というようなすごい音が店中に響き渡り、みんな粉々になってしまった。あわてて走ってきたウエイトレスにぺこぺこあやまり、かけらを拾います、いえ、大丈夫です、汚れなかったですか、弁償します、いえいえ、というようなやりとりをしていたら、私の狼狽が彼女にも伝わってしまったのか、彼女のかがんだお尻がテーブルをがたんと押して、シュガーポットが落ちた。幸い銀製だったので割れはしなかったが、砂糖が床に飛び散り、きんこんと鐘のようなものすごい音がした。

私はかがんだままで思わずウエイトレスと暗い笑顔を交わし、しかし心の内ではああもうなにもかも面倒くさい、二度と立ち上がりたくない。と思っていた。

その時、突然名を呼ばれた。

「お客様に鳥海さんはいらっしゃいますか。」

受話器を手にしたウエイトレスが店の入口の所でそう言った。私はさっと立ち上がり、つかつかとそちらへ歩み寄り「私です。」と言って受話器を受け取った。

「もしもし?」

誰だろう、と私が出ると、

「人魚。」

　と嵐の声がした。

「嵐？」私は大声で言った。「どこなの？」

「国際電話だ。」

　その後続けて嵐はなにか言ったのだが、電話がひどく遠く、その店のかすかな音楽やざわめきにさえまぎれてしまった。私はえ？　え？　と言いながら近くにあったトイレのドアを開け、電話のコードを引っぱり込んでドアを閉めてしまった。ふいに訪れた静寂の、大きな鏡に映る私と黒く光るタイルだけの世界に、私の声が響いた。

「なんで、私がここにいるってわかったの？」

　私は全くわけがわからずにそう言った。

「そんな気がしたんだ。おい、それどころじゃない。急ぎなんだ。おまえのお母さんは今、外出してるか？」

　嵐は言った。

「ううん、今日は買物にも出てないし……家で寝ているはずよ。」

　家を出る時のことを思い返して私は言った。

「いいか、俺は変なことを言うぞ。今、なんだか急に気になっておまえの家に電話をしてみたら、何回かけ直しても出やしないんだ。なんだかいやな予感がするんだよ。頼む、確かめてみてくれ、なんでもなければそれでいいんだ。早く帰れ。タクシーに乗れ。」

嵐はせっぱつまった口調で言った。鏡の中の私は受話器を持ったまま青ざめていった。

「それって、まさか、お母さんが……。」

「そうだよ。」

嵐は落ち着いた調子で肯定した。

「どうして？　どうしてそんな気がするのよ。」

私は信じたくなかった。少し元気のない日本の秋の夕暮れに、ただの日常に、どうして異国のこの人はこんな大変なことを割り込ませようとするのか。

「いいから！」嵐はどなった。「確かめるだけでいいんだってば。早く！　おまえ、ひとりぼっちになってしまうかもしれないんだよ！」

ただごとではない気分がずっしりと私にも伝わってきた。そして、そんな不確かな予感さえ無視できずに私をなにがなんでも探し出す、そんな彼の心ばえがとにかく愛しかった。

「わかったわ。また連絡する。」と私は言った。「ありがとう、嵐。」

「うん、じゃあ。」

嵐は言った。電話が切れた後、私はトイレのドアからおどり出てあわてて家に電話をしたが二十回コールしても母は出なかった。にわかに不安がこみ上げてきて、私は大あわてで席に戻り、伝票と荷物をつかんでレジへ走った。そういえば、と店の階段を泣きそうな勢いで駆け上がりながらも私は思った。割れたものはみんな片づいていたわ、店の人々はみんな私のことを奇人だと思ったわ、きっと。タクシーをつかまえ、私は家へ向かった。祈るような、どきどきした恐ろしい気持ちがすっかり私をとらえて、私は息もろくにできないくらいはやっていた。窓の外を夕方のオレンジに満ちた風景が雑然と流れてゆく。私は、お金を払った状態のままで財布を強く握りしめていた。

マンションの階段を駆け上がり、カギを取り出してがちゃがちゃ回して、私ははあはあ息をついて部屋へ駆け込んだ。

寝まきのままでスリッパをはいて台所に立っている母の姿が目に入った時、私は安堵(あんど)のあまり人さわがせな嵐のことをぶっ殺したくなった。しかし、母は——いつもきちんと束ねている髪を肩にたらしたままなのでよく見えなかったのだけれど、なにひとつのっていないまな板を前にして、手首を見つめていた。右手には包丁を持っていた。

私は凍りついた。本当に、体中が、がちがちにこわばってゆくのがわかった。

「お母さん。」

私は声をかけた。

初めて私に気がついて、母はゆっくりこちらを見たがその表情はあとひと押し、という決意のような、迷いのようなものをみなぎらせていた。私は台所のテーブルにゆっくり歩き、持っていた荷物を置き、息をついたまま母を見つめて黙ってしまった。

「人魚、どうしたの。」

母は言った。

「お母さん。」私は全く幼児だった。涙があとからあとからあふれ、うまく口がきけなかった。私はただみっともなく「お母さん、お母さんが……。」と泣きながらくり返すことしかできなかった。

「人魚、どうしたのよ。」

母はもう一度そう言うと、足元の開き戸からこれ見よがしに一本のきゅうりを取り出して「これを切るところだったのよ。」と言った。

私は瞬間、ただあっけにとられて涙も止まったが、あまりにも母らしいバカなごまかし方で、あまり間が抜けているので思わず泣き笑いになって、しまった。母も仕方なく笑っていた。

そして、母はそのまま仕方なくきゅうりを切りはじめた。

その日の夕食のメニューにとってつけたように加わった野菜サラダの味を私は一生忘れられないと思う。重い味だった。母もまた、なにか物言いたげな表情を浮かべていた。なにか言おうとしてはやはりやめて、野菜を口に入れた。ひと口ごとに言葉をのみ下すような感じだった。そして、ごちそう様と言った時、ちょっとにこっと笑った。

翌日、外の電話ボックスから嵐にコレクトコールをかけたら、父が出てしまった。

「なんだ、嵐に用か。」

と言って父は受話器を置こうとした。私は言った。

「ちょっと待ってよ。言いたいことがあるのよ。」

私は本気でこわかった。嵐と私が兄妹かどうかをたずねたあの電話とは比べものにならない勇気がいった。エンマ大王の前に引きずり出されたのと同じくらいすくんでいるのに、私の声は妙に落ち着いていた。

「いつまでそこにいるつもりか知らないけれど、なるべく早く帰ってくるのよ。たまには人のこともちゃんと考えてよ。いい？　来年の夏までに帰国しなかったら、お母さんと二人で黙って引っ越しちゃうからね。行く先は決して教えさせないわよ。」

もちろんハッタリだった。父はしばらく無言だったが、

「余計なお世話だ。」

と言うと受話器を置いた。しばらくして嵐が出てきた時、私は心底ほっとした。

「もしもし、今、親父になんか言った？」

「うん。嵐は、お母さんのこと言った？　昨日、自殺を図ろうとしていたことを。」

自殺、と言葉にするとずっしりきた。晴れた秋の陽光が、ガラスを透かして私のいる電話ボックスを照らしていた。空がはるかに青かった。

「やっぱりそうだったか。電話してみてよかった。」嵐は言った。「今は、どうしてる？」

「うん、それがね、すごい勢いでおばあちゃんが飛んできちゃったものだから今は、和気あいあいなの。二人で石狩鍋（いしかりなべ）作ってるわ。うん、お母さんはもうきっと大丈夫だと思う。」

「俺、親父に言ったよ。別に今さら真人間になればいいと思わないし、親父は親父のままでいいんだけどさあ、人の命がかかわるような時は、まわりの者が言ってもいいと思うんだ。俺たち、もう子供じゃないんだから。」

嵐は言った。

「うん、私もそう思った。」

私は言った。

「でも、とにかく無事でよかったな。それにこしたことはなにもないよ。」

嵐が笑ってそう言った。

「本当にありがとう。」私は言った。「でも嵐、どうしてわかったの?」私がポットのふたを落っことしたりしていたあの瞬間に彼は時差を超えて、わかったのだ。本当に不思議なことだった。

「なんとなく、としか言いようがないよ。ここを去る時、お母さんはがっくりして、なんの希望も失くしてしまったように見えたんだ。」

嵐は言った。

「まあ、そっちのほうは超能力者も多いっていうしね。」

私は笑った。

「なにしてるの? 毎日。」

「まあほとんど観光客だね。バザールに行ったり、寺を見たり、明日あたりはポカラに行くすごく長く乗るバスにでもチャレンジするかな……と思ってる。楽しいよ。」

「いいわね。」私は言った。「そのうち、帰ってくるの? あなたたち。」

「うん。そうしたらまた会おう。」嵐は言った。「なんだかおまえと毎日のように雨の中で会ってたのが、ここにいるとすげえ昔のことのようだ。」

「私も、そう思う。ついこのあいだなのに。」

あの雨の音、グレーの空、木々の匂い。わけのわからない距離の切なさが胸をふさぐ。それでも、好きだということのほうがもっと大事だった。

「じゃあまた。」

「うん、また。」

電話を切り、ボックスを出て、私は澄んだ空気の中を歩いて行った。空は本当に青かった。


おばあちゃんを見送った帰り道、母がふいに言った。

「本当はあの時、ちょっと切ってみようと思ったのよね。」

私はどぎもを抜かれて、はあ、と言った。とても肌寒い朝で、私たちは身をすくめながら空港から帰ってきて、地元の駅の近くでお昼でも食べようかと並木道の大通りを歩いていたところだった。母も私ももう冬のコートを引っぱり出して着込んでいた。息が白くなるくらいだった。

「ええとね、体のどこかをちょっと切って血を出すと、すっきりするような気が、しない？　それで、ためしてみたくてね。でもこわくてね。……子供の涙っていうのは、強いものね。いろんなことを思い出したわ。あなたがまだ小さくて、育てることに夢中だった若い頃のことを。」

母の笑顔はもうすっかり明るかった。

「お父さんといるのって、そんなに大変だったの？　このあいだの旅行でさ。」

私は言った。道はがらんとして人通りも車も少なく、光にさらされて白っぽく見えた。

少し眠い昼だった。

「いいえ、なによりもね、お母さんだけが歳をとって、あの人が全く変わっていないことがショックだったのよ。」

母はため息をついた。そうだろうなと私はすごくわかる気がして、言った。

「どうして、お父さんなの？」

「だって、あれよりも誰も好きになれないんですもの。もう決めたのよ。」と母はきっぱり言った。「人魚は知らないでしょうけど、おじいちゃんとおばあちゃんがあんなに仲良くなったのは最近のことで、あの二人は見合いでね、ものすごく冷たい夫婦だったの。雪深い北国で、娘の頃お母さんは、たくさん淋(さび)しい思いをしたの。だからね、とにかく恋をしよう、そして、本当に夢中になった人に人生を傾けよう、他のことは少しくらい道からはずれてもって決心したのよ。長い時間をかけてね。」

「でも、毎日会える夫婦がうらやましくないの？」

私は言った。母はぴたり、と歩みを止めた。仕方ないので私も立ち止まり、のどが渇いていたのでついでに自動販売機でウーロン茶を買い、母にも一本買ってあげた。体勢が整うと、母は言った。

「人魚、ものごとはあるがままに受けとめてほしいの。お父さんは、ああいうわがままな人よ。ああいう人が私や、人魚や、嵐くんを引きずっていることは淋しくない反面、耐えがたいことなんだと思うの。あの人は、口ではめちゃめちゃなことを言うし、ひどく傷つくことも言うけれど、一度も私たちを切り離そうかと迷ったりしない。いえ、迷ってるんでしょうけれど、外には出さないわ。それは、結婚して一緒に住むよりもずっと重いことよ。あんな性格にとってはね……。いいのよ。ただ、久々にちょっと長く一緒にいてみたくなっちゃって、無理について行ったら現実を見せつけられて、いろんなことを、若かった頃の苦しみや喜びをいっぺんに思い出しちゃって、疲れ果てちゃった。ホテルったらしょっ中、停電するし、虫もいるし、いつもなんだか頭痛がするし。ああ、つらかった。離れていてこその幸せって、あるのかもしれないわね。」

お茶を飲む母の横顔は陽に映えて、再び精気に満ち、希望が戻ってきていた。

「まあ、ちょっと外国っていうのがね。」

お茶の缶をからん、とゴミ箱に捨てて私は言った。

「ええ、いつかまた国内旅行で挑戦してみるわ。岡山とか、そういう所で。」

母は言った。本気で言っていた。

「そうよ、まだ先があるのよ。」

私は言った。どんなに変な思想に生きていても、母らしくよみがえった母が私は嬉しかった。

「人魚、それよりもあなたがそのうち嵐くんと一緒になってあの家に住んじゃえばいいのよ。そうしたら、どさくさにまぎれてついて行くから。すごい作戦だわ、いいわ。ちょっとまぎらわしいけどね。すぐ慣れるわよ。」

母は言った。私は、

「いやよ、あんな汚い所に四人で住むの。」

と言った。

「じゃあ建て替えて今はやりの二世帯住宅にするといいんじゃないの。なんて、ほとんど冗談だけどね。おとぎ話。」

母は夢見るように微笑んだ。その笑顔を見つめて私も瞬間、吸い込まれるようにその未来の住居を想った。

「あなたとお父さんも、少しずつ歩みよってゆけるといいわ。」のどもとを過ぎてけろりと忘れてしまった母はそう言った。「さ、お昼食べに行きましょうね。」

しかし、そういうことだってあるかもしれない。

私たちは、四人が四人とも今はじまったばかりの家族なのだ。道のりは遠すぎて、くらっとした。しかし先に進むしかない。そう思った。そして、歩いてゆく母に追いつくために早足で歩きはじめた。


先のことはわからない。

無限だ、淋しいほどの無限だ。限りある人生の中で、人はその無限の重みに耐え切れなくなり、何度も目をつぶる。

父も母も、そして多分私と嵐も、どうしても目をつぶることのできない、ひどくわがままで欲深い人種なのだろう、と私は思うようになった。

私にはつらくてもそれを選ぶしかなかった母の人生がほんの少しわかってきたように思えた。そして母の「二人の子供」が力を合わせて、つらさに押しつぶされそうになった今回の母を生き延びさせたことが嬉しかった。それでも私はそんな母と父の向こうに、そして私と嵐の向こうに、光があるといいと願う。それぞれがそれぞれの美しい姿を保ち、生に満ちた光の中にたどり着けたらと思う。

その日は春を感じさせる生温かい陽気で、とても風が強かった。

すかっと晴れた真昼の街を、突風が吹き荒れていた。私は学校帰りでひとり、並木道の大通りを歩いていた。看板はがたがた音を立てて揺れ、若葉に彩られた枝も音を立ててずらりとなびいていた。歩道をゆく人々はみな、ごうごう吹き荒れる風に顔をしかめたり、髪を押さえたりしていて、やたら落ち着かなかった。青い空だけがじっと動かずにそういう世間を見ていた。体重が軽い私も、風に押されて飛んでゆきそうなので、必死だった。

そうして戦うように苦労して、スカートを押さえながらもふと前方を見ると、まるで風など全然吹いていないかのようにただひとり平然と歩いてくる、しかめ面の大男を見つけた。父だった。本当に帰ってきてしまったのだ。

あまりにも意外な出会いにびっくりして私は立ち止まった。父も私に気づいて、にやにや笑いながらやってきた。

私よりも二倍も大きい父と向かい合い、風でよろけそうになるのをこらえながら、

「帰ってきたの？」

と私は言った。

「うん、今からお母さんとデートだ。驚かせてやろうと思って黙って帰国してみた。」

父は無邪気(むじゃき)な笑顔を見せた。

「お母さん死んじゃったら、どうするつもりだったのよ。」

笑いをこらえ切れずに私は言った。

「おまえの面倒くらい見てやるよ。」

父は言った。

「男に売って金をとったりしてさ。」

「違うの、私のことじゃないのよ。」

私は言った。

「ああ、あいつのことか。なに、女なんてまた、作ればいいんだよ、死んじまったら。」

父は笑った。「でも、あれほど根性ある女はもう見つからないだろうなあ。点滴打ってるのに、日本に帰らないって言い張ってさ。大変だったぞ。あの、口のうまい嵐が来なんだら、ガンジス川に流しちゃうところだった。」

「それは、インドのお話でしょう。」

あきれた私は言った。

「おっ、バカじゃないな、おまえ。」

父は言った。その、ゆっくりと大声で話す調子は相変わらずで、懐かしくさえ思えて、

「どうしようもないわね。」

と私は苦笑した。それでも父の手に抱えられた茶の紙袋の中には、母の大好物のいちごがたくさん入っていて、父の言葉やなりよりもたくさんのことを語っているような気がした。

黙っている私を見て、

「よし、助言をしてやろう。」

と父が言った。彼のパーカーのフードが風にはためいた。昔、幼い私に対する父の助言はいつも下世話（げせわ）で下品なことばかりだったので私は眉をしかめて「なに。」と言った。

「幸せっていうのはな、死ぬまで走り続けることなんだぞ。」風の中で優しく目を細めて父は言った。「それに家族はどこにいてもひとつだけど、人は死ぬまでひとりだ、わかったか。」

「お父さん。」びっくりして私は言った。「言ってることにあんまり筋が通ってないよ。」

そしてはっと気づいた。大人になってから、彼に面と向かって〝お父さん〟と言ったのは今が初めてだった。

「よしよし、お父さんだぞ。」と父は私の頭をくしゃくしゃなぜて、ふいに言った。「来月にはおまえの大好きな嵐が帰ってくるってさ。」

え？　と私が言うひまもなく、父はのしのし歩いて行ってしまった。あわてて振り向くと後姿で片手だけ上げてみせた。強い足どりだった。

——嵐が帰ってくる。

ゆるやかな歓喜が胸に押し寄せてきた。それは、いつか帰ってくるといくら知っていても、はっきり耳にするまで決して手に入らない「実感」だった。私はほんの短い期間にたくさんのそれを手にした。そして、そうやって生きていくことが、今は本当に嬉しかった。はるか続く空と街並（まちなみ）の中で、私は立ちつくしてその歓喜をかみしめたままで、まるでふるさとを離れてゆく列車に乗っているような切ない気持ちで父の背中を見送っていた。

サンクチュアリ

春先に、妙な出来事があった。

そう、智明が初めて彼女を見たのは、風の強い春の夜の海辺だった。とにかくひどく疲れ果てていたので、ひとりでのんびりしようと思って父の会員証とカードで勝手にホテルに泊まり込んでいた日々のことだ。なにもかも忘れて毎晩心ゆくまで飲んで、ぐーぐー眠って、昼は浜で本を読んだり、プールで泳いだりして暮らせたら極楽だろうな、と夢見て実際にやってみたら、二日酔いでただ一日中だるいだけの毎日だった。それで智明は〝調子悪い時はなにやってもだめだ〟という、しようもない真実を学んだ。それでそのままぐだぐだと、一週間もそこに滞在していた。

しかしそんな中にも冴えたいい時刻があった。夜の八時過ぎ、夕食を終えたあたりだ。やっと体のだるさが取れてきて、頭がはっきりしてくる。そこでよし、と起き上がって散歩に出てえんえん歩く、その時間は気分が良かった。晩の散歩は日課になった。

そんなある夜のことだ。

智明のいる小さなホテルの目の前は広い国道で、渡るとすぐそこに海が見えた。夜の海は昼と迫力がまるっきり違う。ぼんやりと暗い浜から、波音が押してくるように巨大に響く。黒い島影が闇に浮かび、潮風は夜の香りを含んで吹き渡る。星がはるかにちかちかまたたく。そういうのを見ていると、心はいっぱいにふくらんだ帆のように落ち着かず、高い所へ駆けてゆけそうな感じを取り戻す。暗い海に沿って、どこまでも歩けそうになる。

それが、嬉しかったのだ。

智明は部屋の冷蔵庫から持ってきた缶ビールを飲みながら、乾いた堤防にもたれて海のほうをなんとなく見ていた。すると、ふと女の泣き声が聞こえた。

ぞうっとした。

誰もいない暗闇の浜辺、振り向くと車もあまり通らない道にずらっとライトが浮かんでいるという状況である。空耳かと思った。しかし、波音にまぎれてそれはかすかに続いていた。

智明は声のほうへ向かってぶらぶら歩きはじめた。するとやがて、浜へと降りてゆく真っ暗な階段の途中にすわっている黒い人影を見つけた。月明かりにぼんやり浮かぶその人を、あまりのことに思わずじろじろ観察してしまった。

それはそれは、ものすごい泣き方だった。

長い髪が、ふるえる肩のところで吹きすさぶ強い春風にさらされて踊っていた。この肌寒いのにブラウス一枚で、彼女は人ひとりやっとすわれるくらいのせまい階段にこしかけていた。風にはためくスカートが砂にまみれているのもおかまいなしだった。彼女は、たまに顔を上げてはまた絶望的に肩を落とし、ひざに顔をうずめては首を激しく振り、身をよじり、両手を固く握り合わせたり、髪を払いのけては泣いた。ハンカチで顔を覆っては泣き、両手で肩を抱いては前にかがんで泣いた。顔も結構よく見えた。彼女は顔を上げる度に、闇に立つ聖母のような清らかな表情をしていた。三日月の形にひそめた眉（まゆ）の下のその瞳には、ときおり理性の光がよぎった。その取り乱しようにもかかわらず、自分の悲しみの種類をきちんと知っているように見えていっそう痛ましさが増した。そしてそこに、妙に強く惹かれた。ふだん見たくもないはずの、「人の泣いている」場面なのに、どうしても目が離せなかった。

そんなことをぼんやり思いながら、黙ってしばらくそこに立っていた。幻のような浜の砂地と、遠く黒くうねる海を見降ろして、ごうごうなる風音の中できちんと距離をおいたままでその、不思議に感動的な泣き女と一緒にいた。そう、その泣き方はなんだかびっくりするほど気持ち良かった。ほこりまみれの自分の心まで、ざばざば洗ってくれるようだった。

翌日の散歩の時間も、そこへ行った。すると驚いたことにやはり寸分違わぬ泣き方で彼女が大泣きしていた。

その翌日もそうだった。

いよいよ明日帰ろうというその晩、ついに彼女が続けて四日間も泣いているのを見つけた時、智明は衝動的に声をかけた。

「部屋で泣くのがいやなんですか。」

自分でもびっくりするほど、はっきりした声だった。くり返す波音にまぎれてしまうことを意識して、いつの間にか大声を出していたのだ。彼女はゆっくりと智明を見上げると、

「だあれ？」

とひどい鼻声で闇の中から問いかけた。

「すみません、このところずっと泣いてるから気になってたんです。よかったらちょっと休んでお茶でも飲みませんか。それからまた、好きなだけ泣けばいいじゃないですか。」

その言い草がよかったらしい。

彼女はそっと立ち上がり砂をはらい、猫のようにひっそりと階段を登ってきた。それで、妙なことになったと思いながらも、並んで歩きはじめた。夜景が美しかった。湾をふちどる街明かりが、ちらちらと海に映っていた。

「いつから、いたの？」

彼女は言った。太ってはいないが、ふくよかで白い。丸い顔に形の整った目鼻やくちび

るがちょこんとついている。完全に歳上だった。二六、七くらいだろうか、と、明かりの下を通る度に、ふいにきちんと姿を表すその全身を見て思った。

「三日かな、ずいぶん前から見かけてた。うまく言えないんだけど、あんまりつらそうなので、とにかくなんでもいいから泣くのを中断したくなったんです。」

智明は言った。

「ええ、とにかく中断できて、嬉しいわ。」

彼女は泣きはらした目でちょっと笑ってそう言った。

「あなたも、きっとなにか悲しいことでもあるのね。」

「まあ、そんなところです。」

智明は正直に言った。彼女は夢のようにうっとり微笑(ほほえ)んだ。

「そうよね、だって、悲しいことがわかっている人しかそんな風に感じないものね。とにかく中断するといいなんて、ふふ。……ねえ、さっきからずっと暗闇(くらやみ)ばっかり見ているのと、何日も初めての土地にいるせいで、頭がぼんやりしてしまって、初めて会った人と思えないの。なんだか、あなた、私の夢の中に出てきている人みたい。変ね、なにか、夢の中で話をしているみたい。」

「うん、言ってることよくわかるよ。俺も今、そういう感じがしてる。」

智明は言った。言いながらも確かに自分が今、どうしてこの女性と歩いているのかよくわからなかった。全てが闇にまみれて曖昧に思えた。彼女はすごくまじめそうなきちんとした身なりで、健康的な容姿をしていた。それでもこんな夜の中で、しかもあの涙の後ではなにか妖しい、この世のものではないもの、なにもかもを知っていてなにかをかくしているもののように感じられてならなかった。

もう人のいない、がらんと広いホテルのティールームでお茶を飲んだ。キャンドルライトに、彼女のほほがつやつや光り、窓の外には果てしなく暗い海が見えた。

「熱いお茶がおいしいわ。すわっていたら、すっかり冷えてしまった。」

と彼女は目を細めた。白い、ふくよかな指でカップを持ち、ミルクをたくさん入れて銀のスプーンでくるくるかき混ぜる。目に映る全ての影が、乾いた光の黄に照らされて淡く映っていた。

「でもね、たとえ泣いていても、部屋にいるより海にいる時がいちばん安心なのよ。」彼女は言った。「ずっと、できれば部屋に戻りたくなくて、毎日やっとの思いで立ち上がるのに、今日はすんなり戻るきっかけができてよかった。」

「泣いたまま寝たり起きたりするのがこわいんだろ。」

智明はコーヒーを飲みながら適当に言った。眠気がぼんやりと膜のように心を覆っていた。

「そう、眠ったり起きたりする、私にとって大切な日常のことが、みんなひどいままごっちゃになってなにがなんだかわからなくなるのが恐ろしいのよ。……あなた、どうしてそんなこと知ってるの？　あなた、誰？」

「通りすがりのものだよ。」

あんまり本当にそうだったので、智明は言ってから笑ってしまった。彼女もお茶を飲みながら微笑(ほほえ)んだ。夜半の空気が部屋中に濃く満ちて、息をひそめていた。遠くを渡ってゆく風の音がしきりに聞こえた。それも全て現実の落とす影のようなこの空間の外にあった。

「死ぬつもりで海辺にいるわけじゃないんだろ？」

智明が言うと、彼女はにっこりうなずいて、

「ええ、ただ泣いてるだけ。泣きはじめると外に出たくなって海へ行っちゃうの。」

と言った。実にほんのりと安らかな笑顔だった。素顔に赤く映り、空気に溶けてゆくようだ。ちょっと上向きの鼻が実にかわいかった。海で泣いていた時の激しさは消え失せて、さわさわと波打ち際に吸い込まれていく泡のような、やさしい瞳をしていた。それでも強烈ななにか悲しいことに打ちひしがれた彼女の発散する、奇妙に明るい光がこの妙な空間

を作り出していた。彼女の表情に今、くり返しおとずれる、その、力のふっと抜けたような柔らかい笑顔は、さんざんな目にあってたどり着いた果ての疲れ果てた安らかさだった。

なぜこんなに彼女のことがよくわかるのだろう。なぜ同調したようにすんなりと目に映るのだろう？　ライトに照らされた目の前の人のかたちが、旅先の遊離した魂に拍車をかけるのだ。ここは彼岸だ、と智明は思った。打ち寄せられた材木のように、ここに流れ着いてしまった。こんな、わけのわからないところに。淋しく淡く光るところに。

「東京から来た？」

智明は言った。

「ええ、A区。」

「俺も。」

「うそでしょ？」

「本当だってば。」

「じゃあ、また会うかもね。私は、浜野馨といいます。」

彼女は言った。

智明は自分の名を名のり、しかしもう会うこともないだろうと思った。

会えばこの夜の心地良い、奇妙な感じが消えてしまう。

彼女もそう思ったのだろう、それ以上の約束をせず、ただあまり話もせず、静かにお茶を飲んで別れた。

笑顔で手を振り、エレベーターに消えてゆく後ろ姿を見た時、智明は部屋に誘おうか、と迷った。誘えば必ず来ると思った。

しかしこわくてひるんでしまった。行きずりの関係が、ではなくて後姿の彼女にはある種の異様な凄味(すごみ)があり、海にいる美しい魔物(まもの)を思わせたのだ。

そしてその、一瞬のこわさをやはり貴重に思ったのだ。

完璧(かんぺき)だった。こわせなかった。

「智明、疲れてるんじゃないの?」

母親がふいに言った。

「そんなことないよ、よく寝てるし。」

智明は五目ごはんをもりもり食べながらそう答えた。母親の目はいつも鋭いものだ。

「ちゃんと食べてるの?」

「うん、料理は好きなんだ。」

智明は一年くらい前から近所のアパートでひとり暮らしをしていた。姉夫婦が実家に越してきて、今まで智明のいた二階に住むというので追い出されたのだ。アパートとはいえ結構広く、キッチンもバスもついているのでなにも不自由していなかったが、たまに実家に顔を出さないと母親がうるさく電話をかけてくるので、授業の帰りに寄ったのだ。

「きっと栄養が片寄ってるのよ、あんた、これも食べなさい。」

と言って母親はほうれん草のおひたしをテーブルに出した。

ちょうど西日が入ってくる時刻の、こういうオレンジの窓ガラスの感じが子供の頃を思い出させる。テーブルのこの位置にいると、全く変わらない角度で光が射してくる。子供の頃は両親共働きのカギッ子で、よくここにすわって自分で冷蔵庫から出してきたおやつを食べた。いつも必ず、ほうれん草がそえてあった。あわてて食べて、いつも野球に行った。グラウンドで、ぼろぼろになるまで遊んだその記憶を、もぐもぐ食べるほうれん草の味がよみがえらせる。全く、なじめない。信じられない。よくあんなに元気だったものだ。

元気が出ない。まるで呪いのように出ない。

ずいぶん長い間、ダウンしたままで時間かせぎをしていた。

もちろん周囲の誰も、智明の胸の内を知らなかった。社交活動は以前と同じようにやっていた。友人は普通にたくさんいたし、話せばちゃんとわかってくれるのだろうが、人に言う気は全くしなかった。

　この冬に起こった一連の出来事を、まっすぐ見つめる気すら起こらなかった。全てが自分の手の内ではないところで起こった悪夢のように遠く、誰がどのくらい悪くて、なにがどこまで現実で、どこまでが心の内のことなのかを判断するものさしがぐちゃぐちゃだった。そういう判断基準を持って生活することが人生に参加することだと智明は思っていたので、今は全く空っぽだった。まじめに考えはじめると、それこそ自分が背伸びしてドアのカギを開けていたちっぽけな子供にバックしてしまったような心細い気分になった。だいたい人に話そうなんていう気は、希望のあるうちにしか起こらないものだ。

　そんなものはもうどこにもない。全てがいつの間にかすっかりがらん、と終わってしまって、今は時間をかせぐより他にすることがなにもない。

　そう思う度、真昼でも闇の中にいるようないやな気分になった。

「そういえば智明、お姉ちゃんに赤ちゃんできたの知ってる？」

　母親が言った。少しもじっとしていないたちの人で、いつも台所を動き回ってなにかすることを探していた。少しはすわれば、と智明が言うと、そうね、とお茶を淹れてテーブルについた。

「そうか、知らなかった。ついにあの人も母になるのか。全然信じらんねえな。」

智明は言った。

「あんたに、なにかお祝いを買ってくれって言っとけって言ってたわよ。」

「なに言ってんだ、あいつは。……義兄さんは？ 喜んでるみたい？」

「もう、今からおもちゃだ、ぬいぐるみだってうるさいくらいはしゃいでるわ。」

「ふーん、そうかい。」

ああ、心が壊死を起こしそうだと智明はぼんやり思った。姉の妊娠も、白いテーブルも、きちんと整った食器棚も、母の笑顔も、目に入るなにひとつも心に入ってこない。どうしたらこれをひっくり返せるのか。とりあえず、すっきりするのだろうか。

――もしかして、泣くといいかもしんない。

やけくそになってそう思う度に春先に出会った海で泣く女を思い出す。この半年のうっとうしいだけの記憶の中で、あのシーンだけは清冽に浮かび上がる。

あの人はもう、どこかの青空の下でげらげら笑っているだろうか。

「夏祭りの晩は、帰ってくるでしょう？」

母親が言った。

「寿司作んの？ そうだな、姉きの祝いもかねて来るよ。」

「お父さんは夜、おみこしかつぐって言ってたけど、あんたどうする？」

「俺はいいよ、遠慮しとく。そっか、夏祭りか。」

「今年は大祭だから、町中がにぎやかになるわよ。」

と言って母親は嬉しそうに町内の話をはじめた。


去年の夏祭りで、高校の時同級だった友子にばったり会った。それが全てのはじまりだった。

彼女は紺の浴衣姿で「智明くん!」と叫んで駆け寄ってきた。明るいちょうちんが並び、電球が照らす夜店を見ながら二人でゆっくり歩いて行った。

「今、実家に里帰りしてるの。お祭りが懐かしくて、ひとりで浴衣着て来ちゃった。」

と友子は笑った。いつもはきはきしていて、テンポが速く、まっすぐこちらを見て微笑(ほほえ)む女の子だった。彼女は高校を出てすぐにかなり歳上の恋人と結婚して越していったのだ。白い歯も、つるりと細いあごも、とても元気そうで素直に懐かしく思えた。それから二人はさんざん夜店で遊び疲れて、お茶を飲みに行った。高校の時よく入った店は、祭りのせいで異様ににぎわっていて、なんだかやたら大声で話をした。

「もう友子もすっかり人妻か。立派なもんだ。」

昔の仲間の消息の合間にふと、智明が言った時、アイスコーヒーの氷をからからかき混ぜながら、

「うん、そう。」

と友子は微笑んだが、今までの打ちとけた調子から突然、目がきびしくなった。店の照明が一段落ちたような感じだった。おや？　と智明は思い、ためしに話題を変えてみた。すると彼女はまた花のようにぱっと明るくなった。

うーん、ルームライトのような奴だ、と智明は思った。結婚がうまくいってないんだろうか、と。

高校の頃、彼女は異様にもてた。もうすでに今の夫とつきあっていて、同級生を相手にしなかったのでなおさらだったのだろう。そのもて方はマドンナとか、ミス〇〇高とか、そういう域に達していた。顔が小さくて、あかぬけていて、細くて、明るくて、言いたいことをどんどん言うし、可愛くて優しい友子の一挙一動はまぶしい舞台のようだった。みんなが注目する友子のうしろの席にいて仲良くしていた智明は、みんなにうらやましがられた。二人で合図を決めてカンニングしたり、漫画を読んだり、窓の外のソフトボールの勝敗を賭けたりして授業中遊んだ。どうせ人のものだと思うとその小さな手も、細い首もやたら白く見えたものだ。

「私たち、窓際の席だったじゃない？」

友子が言った。きゅっと問い詰めるような明るい口調も変わっていなかった。

「うん、俺は君のうしろだったよ。」

「よくさぁ、夏、プールの後ってくたびれて授業中熟睡しちゃうことがあるじゃない。ほら、あの感じ。体がまだ半分泳いでるようなね、心地良くて、陽がたくさん当たって。それで先生の声がとおーく、子守歌になっちゃって、ぐうぐう寝ちゃうのよね。それで、ぱっと目が覚めると、五分くらいしか寝てないのに、なぜかしらすごいっぱい寝たような不思議な気分にならなかった？」

「なった、なった。やっぱり熟睡だからだろうな。」

「まわりはなにも、変わってないの。先生は相変わらず黒板になにか書いてしゃべってるし、みんなも変化がなくって、体がほんのりあったかくって、窓の外は晴れてて、なにもさっきと変わってないのに、私だけ急にそこに降ってわいちゃったみたいな変な感じで、なんだかとても誰かとなにかしゃべりたいような不安な気がして、ねえって振り向くと智明くん、必ず！　寝てるの。おかしかったあ。ぼうぜんと智明くんの眠る背中を見て、笑いながらまた前向いて、……懐かしいなあ。」

友子は高校の頃のことを楽しそうに嬉しそうにいくらでもしゃべった。そして今のことになると口をつぐんだ。

店を出て、もうすっかり終わった縁日の、カバーのかかった暗い店先や、石畳の神社を抜けて行った。赤い鳥居が闇の中で夢のように暗く見えた。月は高く、その輝きにとても近い所でごっそりと暗い枝々がスローモージョンでざわざわ揺れた。二人ともなんとなく、そういう景色を見ながら黙って歩いた。わけもわからずしんみりした。

駅の入口で友子は言った。

「また、電話してもいい？」

「おう、いつでもしてきな。」

智明は言った。

彼女はぴかっと音がするほど明るく笑い、

「じゃ、またね！」

と言った。その時のことを思い返すと、今も胸がずきずきする。地下鉄の駅の明るい階段を降りながら浴衣のたもとをひらひらさせて振り向いた彼女や、手を振るしぐさを思うと、目の前が真っ暗になる。あの時、

「いや、電話はよしたほうがいい。君は人妻なんだからさ。」

とか言えたらよかったのかもしれなかった。でもきっと今すぐ、そっくりあの場面に戻

っても「おう、いつでもしてきな。」と言うと思う。性格とは、運命とは、そういうものだからだ。

母に別れを告げて家を出た智明は、家のすぐ裏手の階段を降りて行った。その急な階段は古くからあり、高台のそのあたりに住む人々は、うんと遠まわりして長い坂道を下るか、その階段を降りないとにぎやかな界隈に出ることができない。足元ばかり見ていないと落っこちてしまう、まるで絶壁のようにがくん、と見降ろす景色はジェットコースターを思わせた。赤茶けた手すり、ところどころ欠けて雑草の生えた石段。足元ばかり見ていて、前から来た人に全然、気づかなかった。

「時田、智明さん？」

急に真下から呼びかけられて、はっと見ると見おぼえのある女性が満面にこにこして見上げていた。思わぬ人物がそこにいた。

「浜野馨さんか？」

びっくりして智明は言った。うっすら雲の浮かぶ青空の下で、彼女は笑って、

「散歩してたの。このへんに住んでるって知っていたから会えるかな、と思ってたら、本

当に会えちゃった。」

と言った。あの海での暗い面影はまるでなく、あれのほうが幻だったような明るさだった。現実はいいな、と智明は思った。あのシーンは心の中でストップしたまま永遠に動かないが、登場人物は前よりずっと華やかにこうして明日にやってくる。ああ、俺は間違ってた。あのままでいいなんてわけがない。このほうが気分がいいに決まっている。そうわからせてくれるような平和な笑顔だった。

「久しぶり、元気だった？」

智明は言った。

「ええ、ずっと、あっちの神社を抜けてきたの。」

指さして彼女は言った。鼻声でない時の彼女の声は、晴れた山々にそっと響き渡る小さなカウベルのようだった。

並んで階段を降りて行ったが、変な気分だった。懐かしくもあった。たとえるなら、産院でとなりのベッドにいた主婦同士が再会した時のような感じだろう。非日常を共にした二人だった。

「智明……くん、はもう元気なの？」

彼女は言った。

「うん、元気だよ。」

智明は言った。

「散歩が趣味なの？」

「ええ、私、運動不足だからね、神社めぐりをしているのよ。ほら、地図まで買っちゃった。」

バッグから地図をがさごそ出してみせながら彼女は言った。友子と全然違ってゆっくりと話し、おっとりとした笑み(え)をたやさない人だった。

「神社とかに興味があるの？」

「ううん、全然、ないけど。昼の神社ってなんとなく気持ちがいいでしょ、緑が濃くて。」

素姓(すじょう)がさっぱりわかっていないもので、なにを聞いてもうなずく他なかった。

「そうだね。」

「あなた、大学生？」

「うん、二年生。」

「やあね、若いわね。なにか、スポーツやってるんでしょう。」

「高校の時から、剣道を。」

「ああ！　剣道。」

「その、ああ、はなんだ。」

「夫がやっていたの。」

白い歯を見せて彼女は言った。夫がいることがひとつわかった。じゃあ、あの涙は夫の浮気か、それとも結婚前の失恋か、やっぱり見当もつかなかった。ただ、

「気候が本当にいいわね、どこまでも歩けそう。」

すっかり元気そうに言う彼女は、とても良かった。

「ねえ、もっとずっと先に、うちがあるんだけど、梅ジュース飲んでいってくれない？あのね、なれなれしい感じだけれど、なんだかすごく懐かしい人に会ったようで、もう少し、話がしたいのよ。」

恥ずかしそうに赤くなりながら、馨は言った。

「いいけど……。梅ジュースってなに。」

「実家から山のように梅をもらってきて、いっぱい作ったんだけれど、ひとりじゃ全然飲み切れなくて、ここのところ、みんなに飲ませてるの。」

さらり、と彼女は言った。

「おひとりなんですか？　今。」

びっくりして智明は言った。彼女は微笑（ほほえ）んで、

「ええと、夫とは死別してしまったの。」

と言った。まるで智明のほうを傷つけまいとするような言い方だった。

「そうだったんですか。」

と、智明はつぶやくように言った。あの暗い夜の中で、彼女がただむちゃくちゃに泣いていたわけを初めて知った。やはりあれは映画のシーンのようなものではなかったのだと実感したのだ。

彼女の住むマンションの一室は、とても小ぎれいで、新婚の部屋のようだった。彼女はたくさんの梅が沈む巨大なびんのふたをひねって、氷をたくさん入れたコップに梅ジュースを注いでくれた。

「これ、梅酒に味がそっくり。」

と智明が言うと、

「作り方がそっくりだもの。」

と馨は言い、白い椅子にこしかけて、窓のほうを見ていた。そうやって遠くを見ている瞳はあの日を思い出させた。

「こういうのを作ってるところが、実に歳上っぽいな。」智明は言った。「あそこにたてかけてあるの、絵？」

テーブルの脇に、板のようなものがいくつかあるのが目についたのだ。

「ううん、写真のパネル。」

「亡くなった御主人が？」

「ううん、私なの。学生の頃写真に凝ってたことがあってね。現像も、引きのばしもやるのよ。」

「見てもいいですか？」

「どうぞ。あ、でも、ほこりかぶってるから。」

と彼女は乾いた布を持ってきて、そのパネルをがたがたと引っぱり出し、一枚ずつぬぐって手渡してくれた。くっきりした良い写真だった。剣道の写真ばかりだった。

「これ、夫。」

と懐かしそうな口調で彼女は指さした。白黒の後姿の、大きな背中が痛ましかった。

「どうして、亡くなったんですか。」

智明は言った。

「車の、事故で。結婚して二年目だったわ。」

そう言った彼女の微笑(ほほえ)みはひっそりと大人びていた。

「私たち、八年も交際していたのよ。」

「八年？　すごいな。」

「高一の時、同じクラスだったの。ものすごく感じのいい人で、っていっても特別そう思ってたのは私だけだったけど。剣道部でね、夏休みって長く会えないでしょ、淋(さび)しくてぼんやり過ごしていたら、電話がかかってきたの。それで、映画観に行ったわ。それが、初めてのデートだった。映画がすごく良くて、話が合っちゃって、笑いっぱなしで家に帰ったらその夜、電話がかかってきて交際を申し込まれたの。それから、ずーっと。どんなに忙しくても、必ず週一回は死にもの狂いで時間を作って、会ったわ。どうして、二人の間から恋がなくならないのか、自分でもよくわからなかったなあ……。彼が、自分のまわりの人をとてもきちんと大切にする人だったからかもしれない。ものごころついた時から剣道をやっていたからか、歳の離れた弟や妹がいっぱいいたせいか、すごく安定した人で、彼といると誰でも明るい気持ちになったわ。真夜中に五分間だけあわてて会っても、学校から家まで送ってもらっただけでも、その後じんと嬉しくなってほっとした。同じ大学へ進学して、私はよく、剣道部が終わるのをいちょうの木の下で待っていたものよ。」

聞けば聞くほど平和な青春だ。そりゃあ、彼女なりに泣いたり、悩んだりはしただろう。

しかし、それをふまえた上で、その健康な容姿にふさわしく、平穏、という字が真っ赤な太鼓（たいこ）バンで押してあるような人生だった。写真の中の彼の精悍（せいかん）さも、それを語っていた。はたから見ても彼女の夫が突如（とつじょ）死んだことは、なにかの間違いのようにしか思えなかった。それだけが全然彼女の人生に似合わなかった。

「待っているのは、少しも苦じゃなかった。秋なんか、すごい勢いで葉っぱが散ってね、山奥にいるようだった。四年間、四回、秋が来る度に、私は『今年も幸福だったなあ』と思ったものよ。見上げると、大きな枝の真っ黄色な重なりの向こうに青空が見えて、足元では落葉がかさこそいってね、あと一時間でデートなの。わかる？　そういう感じ。」

「うん、よくわかる。」

「私、夫といた間に、自分の一生分の幸せを見てしまったような気がしているの。使い果たしたっていうんじゃないのよ。ただ、見てしまったっていうことなの。花火みたいなのや、森みたいの、四季の美しさの、人の温かさの。あらゆる角度や深さから、私は彼との恋を通して知りつくしてしまった。……後から思うからではなくて、もちろんいやなことも含めて、私は彼に本当に集中していたの。だから……人間、十年もあったら、なんでも見ることができるわ。私はずっと、彼を通して世界を見ていて、本当に、幸せだったのよ。彼を失ってしまったら、生きているので精一杯なだけになってしまったようなの。」

「そんなことないよ。散歩だってしてるし、だいたい、まだ若いじゃないか。」

言ってはみたものの、とてもそんな言葉が相手の心に届くとは思えなかった。なにが、散歩だってしてるし、だ。そんなことは、きっとまわり中の誰もが言っただろう。彼と彼女二人の間のことは、さかだちしたって二人にしかわからないのだ。自分と、友子のことのように。だから、彼女は海であんなに泣いていたのに決まっているではないか。

「わたしも、そう思いたいわ。」

と言って、彼女は柔らかに微笑んだ。諦観と生命の間で揺れる、彼女は時々、独特の雰囲気をかもしだした。するとたんに海でのことがよみがえってきた。うっとりと死を夢見ているようでもあったし、暗闇の中で光を待っているようでもあった。そういう不思議な瞳をしていた。

「智明くんは、なにがあったの？」

彼女は言った。

「なにって。」

「あの時、海で言ってたじゃない。自分にも悲しいことがあったって。」

「ああ、俺はね、つきあってた人が自殺してしまったんだよ。」智明は、初めて口外した。ごまかしがきかない気がしたのだ。「その人は、人妻だったんだ。死ぬとか、死にたいとかなにも言わずに急に死んじゃったんだ。本当にびっくりした。」

「……そう。」馨は死にそうな顔で言った。「大変だったのね、人に言えないものね。だから、そんなに大人びてるのね。」

「大人びてるかね。」

「うん、とてもそんなに歳下とは思えない。」

「出会いが出会いだからね。」

智明は笑った。確かに、自分が誰にも言っていなかったことをこの人にはきっとしゃべってしまうという気は初めからしていた。そして、彼女が思っている彼女自身や彼女が生きてきた人生は、まだまだ彼女の核心にせまっていないような気がした。

海で見たあの顔、あれこそがこの人だ。この人もまだ気づいてはいないが、多分そうなのだ。もっと生で、もっとむきだしの人だ。そう直感した。

気づかせてやりたい、というおかしな欲望を感じた。

「そうね、なんだか地獄の底みたいなところで出会ったものね。今さら、とりつくろっても仕方ないものね。あの時、もし誘われていたらきっと部屋についていってたわ。」

「誘えばよかった。」

智明が笑って言うと、馨もくすくす笑った。

「じゃあ、あの時はやっぱりお互いにどん底だったのか。」

「……あれって、春だったわよね。そうね、私は、冬がいやだった。」顔を曇らせて磬は言った。「たくさん雪が降ったでしょう。それに、うんと長かった。いつまでも寒かったでしょう、本当にいやだった。」

「そうだな、雪がたくさん降ったな。」

冬はまだ友子が生きていて、そして死んでしまった季節だった。あの冬の暗い印象が、言ったとたんに胸にこみ上げてきた。

「……なにか、二人で悲しみを盆栽にして見ているようで、変だね。また、会おう。今度こそ電話する。」智明は言って、立ち上がった。

「ええ、また散歩しましょう。」

と磬は笑った。

明るい窓の外が西から暮れかけていた。活気のある夏の風が、カーテンを揺らしていた。

再会を約束して、磬と別れた。

本当に、永遠のように長くて寒い冬だった。いやなことはなにもかもその冬のうちにひとかたまりにイメージされた。悲しいことも、淋しいことも全て。そして気が変になるほど懐かしいことも。

友子に最後に会ったのは大雪の晩だった。突然、夜中の三時に彼女が部屋を訪ねてきたのだ。ああいうのも虫の知らせと呼ぶのだろうか、ちょうど、絶望的に散らかっていた部屋を大そうじしている最中だった。

ドアチャイムが鳴り、なにごとだ？と時計を見た時、ちょうど風呂を洗っていた。ドアを開けると真っ赤に泣きはらした目で、深刻そうな友子が立っていた。溶けかけた雪が髪をきらきら濡らし、しずくが紺の厚いコートの肩にぽたぽた落ちていた。

「なにごとだ？」

智明は言った。

「泊めて。」

友子は言った。また夫は外泊なんだなと智明は思い、タオルを投げた。彼女の夫にはずっと新しい恋人がいて、友子が智明とつきあいはじめてから、外泊が多くなったらしかった。どうせお互いうすうすわかっているなら同じ夜に外泊すりゃいいのに、と智明は冗談で前に言ったが、こわれかけた男女はそんなふうにタイミングがずれてゆくものだ。一方が外泊する度、他方は自分を棚に上げているからこそ、恐ろしい孤独の淵にとり残されるのだろう。

友子はしばらくすんすん泣いていたが、ふと智明のすそまくりやうでまくりを見て不思議そうに、

「こんなに寒いのに、なにしてたの？」

と言った。

「風呂そうじだよ。」

「いつも、そんなにきちんとそうじしてるの？　すごい、主婦の私よりしっかりハウスキーピングしてるわ。」

友子は笑った。

「ううん、なりゆきだよ。」

うまく説明できないままコーヒーを淹れた。その頃の友子はいつ会っても本人をどこかに置いてきてしまったようだった。自分にのめり込んでいる、と言うべきだろうか。ふいに泣いたり、はしゃいだり、やたら楽観的になって未来を夢見たり、絶望したりを短いサイクルでくり返した。こわれものと化した彼女が、夫に智明のことをぶちまけてしまうXデーが近いことは目に見えていた。それは友子がもうにっちもさっちもいかないくらい智明を愛しているからではないというのがなんといっても気に入らなかった。心の内のどこ

かがかなり動揺していたのだろう。夜中の十二時頃、なんとなく本の山を片づけていたらホコリが目についたので掃除機をかけた。ついでに、積んである本をまとめてしばり、押し入れの中に入れ、押し入れに入っていたカセットテープを全巻整理してしまった。そのへんから加速がついて、窓をふき、台所の床をぞうきんがけしているうちに、いつの間にか風呂をみがいていたのだった。我を忘れてそうじをしていた自分の、疲れた心にびっくりした。

「コーヒーでも飲んだら、とにかく。」

と差し出したカップを受け取った友子の手はひんやり冷たかった。

「どうしていいのか、よくわかんないのよ。」

と彼女は鼻声で言った。赤い鼻でも、目のふちが黒くても、彼女はきれいだった。

「わかるまで、放っておくんだよ。」

智明は誠意を持って言った。悩みごとのある人には、本心からそうくり返せば、いつか必ず笑顔になることを知っていた。彼女はひととおり、続けても仕方のない結婚生活のつらさや、内緒でつきあっている二人の立場について、涙ながらに語った。彼女の着ているもののいい加減さを見れば、彼女の家がどんなに荒れているかわかった。パジャマの上に、ジャージ素材のスカートをはいただけで、足ははだしだった。ベッドから飛び起きて、思い詰めてタクシーで来たのだろう。夫の戻って来ないベッドで、だんだん雪に閉ざされてゆく家の中でひとり、ランプの明かりの中でどんどん思考に追い詰められてゆく彼女の夜中を考えた。

光景は胸にせまり、本当にぞっとするほど哀れだった。華やかだったはずの彼女の人生や彼女の肉体の全てが、行き場をなくしつつあった。智明は彼女の小さな頭を抱いて、

「今いっぺんに考えても仕方ないよ。時期を見よう。俺は別に逃げやしないから。」

と少し適当に、しかし本気で、ばかなオルゴールのようにくり返した。友子は間近で智明を見上げ、ふふふ、と透明な涙を浮かべたまま微笑んだ。

「いいなあ、智明くんは。最強の友人ね。私がどうしたらしっかりするか、ちゃんとわかってくれてるのね。そういうのって少し冷たいけど、本当に頼りになって、安心できるわ。私、智明くんのそんなところ、昔から知ってた。きっと、智明くんの中には、誰も知らない、誰も犯すことのできない、とても清らかな場所があるんだわ。今、タクシーの中で雪景色を見てて、本当にそう思ったのよね。すごいのよ。今、真っ白い雪がどんどん街を覆ってゆくところなの。あんなふうに落ち着いて、白くて、誰もがじんとして泣きたくなるような明るくてきれいな場所があなたの中にあるのね。きっといつか、そこをわかち合える女の人とめぐり合うのね。」

言っていることが、変だった。態度も変だった。

「なに言ってんだ友子、おまえ自分の立場というものをわかってないな。」

友子から離れて智明が言うと、

「高校の頃に戻りたい。」

と友子はぼんやりした瞳で言った。

その夜の、友子の顔が思い出せない。不思議なことだった。他のことは皆、克明に思い出せる。

雪がどんどん降り積もり、時おり屋根からどさっと落ちる音、しんと防音された白い闇の景色、ストーブをつけっ放しにした暗い部屋で、ひとつベッドで眠ったはずなのに、雪明かりとストーブの赤にぼんやり照らし出された白い額も、ひそめた眉も、肩のつけねのところにあるほくろも、その、妙に集中しておだやかなセックスも、スリッパをはいて立ち上がる白い足首もみんなはっきりしていたのに、表情が思い出せない。印象だけだった。

昔、子供の頃母親が言った。

「死ぬことを決めた人はね、半分心があっちの世界に行ってしまうの。だから、顔がないのよ。飛び降り自殺する直前の人なんて、のっぺらぼうに見えるんだよ。」

聞いた時はただその話がこわかったが、友子が死んだ後、あの夜のことを思う度にいつもそのことを思い出した。今では確信している。彼女はもう、決めていたのだ。

翌日、友子は薬を飲んで死んだ。まだ、前夜の雪が街中にたくさん残っていた。知らせは、高校時代の友人から人ごとのようにやってきた。人ごとのように驚いて、電話を切った瞬間の脱力感が今もよみがえってくる。

まだ、昨夜の雪が残っているのに。と、暗い窓の外を見て思った。家に駆けつけるわけにもいかず、駆けつけても仕方がないのか、と部屋から窓の外をずっとぼんやり見ていた。手足がぎくしゃくした。それで、泣きそびれてしまったのだ。

その頃、いちばんひんぱんに友子の夢を見ていた。どんなに浅い眠りにも、ちょっとしたしぐさや面影(おもかげ)の印象が残った。寝ても覚めても友子のことが頭から離れなかったので、友子が死んでも、ちょっと前、生きていたあたりと全く同じような感じの夢がやってきてひどく混乱した。友子が実は生きているのか、死んでいるのか目覚めてしばらくはさっぱりわからなかった。ひどいものだった。人前で一日せっかく普通の一日をふるまって取り戻しても、眠って目覚めたとたん暗い暗いふりだしに戻ってしまうのだ。

はっと目を覚ます。今、ここにいた友子の面影が空に散る。思わず部屋中を見回してから、寝ぼけた顔に十カラットの絶望が飛び込んでくる。友子は自分で死んだんだった、と思い出す。冷たい夜明け、窓の外はるか遠くにほんのひとすじ光る雲の連(つら)なりを見つめて、ぞっとするほど孤独な気持ちがおそってくる。いちばん悪い錯覚は、死んでまだ間もない友子がこの部屋のどこかにいる、と思えることだった。今さっきまでの夢の感触や影かたちがあまりにもリアルなので、そう信じ込んでしまった。このぼんやりと白い、明るい闇の中で息をひそめて、チャンネルの違う空間から淋（さび）しく見ているのではないか、また夢で逢（あ）える瞬間のために悲しく待っているのではないか、その想像はあまりにもかわいそうすぎて、泣きたくなった。今すぐ死んでそばにいってやりたくなってしまった。

今はもう、夢とわからないほど生々しい夢はさすがに見ない。それでも何回かに一回は、やり切れない気持ちで目覚めた。その度に、自分の一部がまだあの位置にとどまっていると思う。影のない日常に決して戻れないような、いやな錯覚がよみがえってくる。

そしてわかった。自分が実は友子を恨んでいるということ。あの夜彼女は自分の言いたいことだけ言い、思い残すことなくこの世を去り、智明の心だけがあの夜の中に置き去りにされたこと。誰にも理解されることなく、友子にすら届くことなかった叫びがあるということ。

あの冬、馨もそういう場所にいたのだろうか。

ある日、剣道の練習の帰り、OBがスポーツ写真の展示会のチケットを配っていた。すぐに浮かんだのは馨の顔だった。電話をかけてみたら、一も二もなくすぐ行く、と言うので駅で待ち合わせをした。電話から飛び出してきそうな勢いだったので、自分に会うのが嬉しいのかな、と思ったら違うのだ。彼女は、本当に写真が好きらしかった。

待ち合わせ場所に走って来た馨は、赤いふちのメガネをかけていた。

「あれ、目、悪かったっけ。」

と言うと、

「出がけにあせってコンタクト失くしちゃって。」

と笑った彼女はほほが赤く、目がきらきらしていて、全然落ち着きがなかった。

今にも走り出しそうな彼女に、

「そんなに嬉しい?」

とたずねると、

「うん、そのカメラマンの人、知ってる人なの。その人の写真、好きだったの。」

とはきはき答えた。そんな彼女はいつもよりずっと快活で、新しい人のようだった。その少し上向きの鼻にひっかかるメガネも可愛かった。昔の、ただはつらつとしていた、それこそが自分だと信じていた頃の彼女がどんなだったか、よくわかる気がした。

ビルのワンフロアーを借り切ったその会場は、かなり混んでいたがひんやりとしていて静かだった。いろいろなスポーツの、あらゆる場面をとらえたカラー写真がたくさん展示されていた。智明には写真のことはよくわからなかったが、その一枚をとらえるためにどれだけたくさんシャッターが切られたかはわかった。どれも力の入ったいい写真だった。馨は、もっと熱心だった。会場に入ったとたん、ひとことも口をきかず、遠くから見つめたり、近くに寄ったり、解説をじっくり読んだりして、前かがみでていねいに一枚ずつ見た。泣いている時と同じくらい熱心なのでおかしかった。

出口の所で署名していたら、男が声をかけた。

「浜野さんじゃないですか。」

振り向くと、三十代前半くらいの、がっちりしてひげを生やした男が立っていた。

「お久しぶりです、高野さん。」

と言った。これらの写真を撮ったカメラマンの名だった。言われてみると、いかにもカメラマンという感じのいでたちだった。

「御主人、残念でした。話、聞きました。今日は？」

「あ、この、お友達の時田智明くんに誘われて、高野さんの写真を見に来ました。智明くん、こちらは『ウイナーズ』のカメラマンの高野さんです。ここにある写真を撮った人よ。」

　よく知っているスポーツ雑誌の名だった。馨とのつながりがよくつかめないまま、「初めまして。」とあいさつをした。彼は感じの良い笑顔で答えてから、馨を見て言った。

「浜野さんはやはり、こういう写真が懐かしいですか。」

「ええ。」

　少しメガネがずり落ちたまま、馨はにっこりした。

「……あのですね、少し先のビルにうちの編集部があります。よろしければ、バックナンバーをお持ちになりませんか。先日、倉庫のほうを整理していたら、浜野さんのがたくさん出てきまして、おつらくなるようなら、と連絡しなかったのですが、とにかく処分せずにとっておいたんです。」高野がそう言うと、馨はみるみるうちにぱっと華やいだ表情になって、

「ええ、ぜひ！」

　と言った。胸の前で固く手を握り合わせていた。「ああ、嬉しい。私、パネル以外のものはネガから全部捨ててしまったんです。見るのがつらい時に、思わず。最近そのことを、すごく後悔していたところだったんです。そんなに、たくさんありますか？」

「そうですね、一箱分くらいかな。」

高野が言った。それを聞いて馨が悲しそうにしたので、

「俺が運んでやるよ。」

と智明はすかさず言った。馨は本当に嬉しそうに「おねがい。」と言った。

「よし、決まった、行きましょう。」

と、高野が言い、ぞろぞろとそのビルへ向かって歩いた。

地下の倉庫へ降りて行く薄暗い階段の途中で高野は言った。

「この人は結婚する前、ちょっとした有名カメラマンだったんだよ。知ってたかい？」

「知りませんでした。」

智明はびっくりして言った。確かにうまい写真だったが、この前パネルを見た時、そんなことはひとことも言っていなかったのだ。

「だって、昔のことですから。」

少し恥ずかしそうに馨は言った。

「男まさりのきびしい写真をさ、すごく大きなカメラでばしばし撮るんだ。読者は誰も女性だって思わなかったんじゃないかな。ぷっ。」高野は吹き出した。「なんていってもペンネームが浜野、鉄男だもんな。」

智明も思わず吹き出してしまった。

馨は真っ赤になって、

「だって、強そうな感じがしていいでしょ。女性カメラマンだって、思われたくなかったの。」

と弁解した。

しんと静まり返った地下の一室のカギを開け、ずらりと並ぶ棚の奥のほうから、高野は小さなダンボール箱を持ってきてどすん、と床に置いた。

「さあ、好きなだけ持ってって下さい。」

彼は笑った。箱を開けると古い雑誌がぎっしり入っていた。薄暗い蛍光灯の明かりの下で、智明も〝浜野鉄男〟の写真を見た。

「これが、この人のデビュー作だよ。」

と高野が開いて見せてくれたページには、「入選」と書いてある、剣道の写真があった。試合中ではなく、庭先かどこかで素振り（すぶ）りをしている彼女の夫の写真だった。東京都、浜野馨、二十一歳、と下に書いてあった。不思議と強い、いい写真だった。

「これが女の子だっていうんで編集部はびっくりしたんだ。それで電話して今まで撮った写真を見せてもらったら、みんなだんなさん……ってもその頃はまだ交際中だったけど、彼を写したものばかりで、すごくいいから本に載せようって言ったら、この人が、できれば他のスポーツを撮りたい、名前も変えて発表するって言うんだ。……とにかく写真がね、あくまで素人のうまさだけど、うまいし、独特の視点なんだよね。まっすぐ、っていうか集中しきってるっていうのかな。ただものじゃないっていうことで、いろんなスポーツの試合に同行してもらって、写真撮ってもらって、見開きでワクを持ってもらったんだよ。結婚するまで、一年くらいね。」

「すごいな。」

智明は次々に雑誌を手に取ってみた。その曖昧な照明の下でも、彼女の写真ははっきりと押してくるようだった。写真に添えられた文章も男性的な、クールな視点からその試合を切り取っていた。バレーボールの時も、ラグビーのも、きちんとルールを勉強してから行ったのだろう。いったいこの人にはいくつの面があるのだろうか、と智明は感動をおぼえた。

「浜野さん。」

ふいに、びっくりした声で高野が言った。智明が雑誌から顔を上げると、開いたページをしっかりと胸に抱えたままで馨が真っ赤な顔で涙をぽろぽろこぼしていた。

「本当に、これ持って帰っていいですか。」

とまっすぐに高野を見上げて馨は言った。

「もちろんです。」

静かな声で高野が言った。

「懐かしくて。」

手の甲で涙をぬぐいながら、馨は言った。高野も智明も、しんとしてしまい、ただ、うなずいた。

彼女の、幸福だった頃の人生がどんなふうに充実していたのか。

きっと、いちょうの木の下から空を見上げるように香り高く、明るく、くっきりとしていたのだろうことが、伝わってきたような気がした。

高野と別れてから、智明は件のダンボールを抱えて暑いアスファルトの並木道を歩いて行った。すこんと晴れて、緑が濃く光っていた。

「重くない?」

馨が言った。

「決まってるだろ、重いよ。」

智明は汗だくで笑った。

「家に着いたら、梅ジュース出してあげるから。」

馨はもうすっかり笑顔だった。全てがまぶしく光って見える真夏の街中は熱気がこもっているような感じだった。渋滞した道路も、ぴたりと動かない街路樹の影も、ビルの形も、みな暑さをこらえているようだ。

「うん、のどが渇いたよ。あれ甘いけど、梅ジュースでいいや。」智明は言った。「……しかし、馨さん、写真のセミプロだったなんて、このあいだ言わなかったじゃないか、びっくりしたよ。」

「だって、本当に遠い昔のことなの。」馨は言った。影になった横顔が少し悲しそうだった。「もう、あんな体力ないわ。」

「そんなにきついもんなのかい。」

てくてくと歩いてゆきながら、栄光の昔話を聞いた。

「そう、あのね、結婚前になにかこれ、っていうものに集中したかったの。ちょうどそういう時のお話でね、私、自分ではスポーツやらないからあんまりわからなかったんだけど、ルールとかね、チームの人たちの性格とかがわかればわかるほど面白いのよ。高校の女子バレー部の合宿に同行したりもしたしね。みんなと友達になって、決勝で負けたら一緒に泣いちゃったりとかね……いろんなことがあったの。ああ、懐かしいな。」優しい目で智明の持つダンボールを見て馨は続けた。「冬なんて、大変なのよ、寒いの！　それで、雨が降ったりするの。でも、カメラから目が離せないのよ。自分にもカメラにもビニールかぶせて、なにもかもどうでもよくなっちゃうの。なにもかも冷たくかじかんで、どこでなにしてるのかわからなくなってしまうの。後で熱いシャワー浴びても、しばらく歯がカチカチ言うのが止まらないのよね。そういうことがみんな、笑っちゃうほど楽しくて。」

身ぶり手ぶりを混じえてそう語った。

「もう、撮(と)んないの?」

智明は言った。彼女の写真は、才能というほどのものではなかったかもしれないがそこがまたよく、彼女と同じくらい魅力的だった。

「……そうね。なんだか本当に懐かしくなってきちゃった。淋(さび)しいことを思い出さなくなったら、いつか、また浜野鉄男を取り戻したいな。やっぱり、スポーツを撮りたいな。」

馨は夢のように楽しそうに言った。

「俺が剣道してるところ撮ってよ。」

「いいわよ、うん、きっと……。」

と言いかけた馨は、歩道のちょっと先を見て言葉を止めた。遠くの車の音に混じって、どこかでセミの声がした。前から歩いてくるやせた中年の女性をきょとんと見つめて、馨は言った。

「お母さん。」

げげ、と智明は思った。未亡人がこんな真昼に若い男と歩いているのは感じ悪くないだろうか。という心配をよそに、彼女は無邪気(むじゃき)に母親に駆け寄っていった。

「うわぁ、ぐうぜん。買物なの？」

はずむような馨の笑顔に比べると、彼女の母親は元気がなく、うつむき加減で、打ちひしがれているようにさえ見えた。それでも馨がそばに行くとにっこりと明るく微笑んだ。笑顔がよく似ていた。

「なあに、若いお供を連れて。」

と母親が言うと、遠慮がちに自己紹介をしようと口を開きかけた智明をふくよかな手のひらで押し出した馨が、

「この人は、友達の時田智明くん。」

と言ってしまった。強い陽ざしの中に突然おどり出たような気分でダンボールをよいしょ、と降ろして仕方なく智明は堂々と、

「初めまして。」

とおじぎをした。

「うちの娘が引っぱり回してるんでしょう、すいませんねえ。」

と言って彼女の母親はくすくす笑った。娘に対する素直な愛情がにじむような言い方だ

ったのでほっとした。

「馨、うちに寄っておいきなさいよ。智明さんは汗だくじゃないの。その荷物を少し置いて、休んでいってもらったら。」

いいえ、とことわるすきもなく、

「そうしましょう、智明くん。」

と満面笑顔の馨が賛成した。妙なことになったと思いながらも、二人について歩いて行った。

馨の実家はそこからすぐ近くの路地裏にあった。大きな庭に確かに梅の木がある、古い造りの家だった。二階に台所と、広々とぶち抜きになった板の間があり、そこで冷たい(浜野家の秘伝なのだろう)梅ジュースをごくごく飲んだ。いつかこの人たちと全然会わなくなっても、この甘い梅ジュースのことは絶対忘れられないだろうなと智明は思った。

クーラーもないのに、青々とした涼しい風が通って気持ちが良かった。全てがよく使い込まれた居心地(いごこち)のいい家だった。適当にごちゃごちゃしていて、なにもかもが使いやすく配置されていて、落ち着きがあった。家具もみな古くどっしりしたものばかりで、木目(もくめ)がつやつやとみがき込まれて見えた。台所のカウンターの向こうで馨が母親と夢中で話し込んでいる間にずっとその見飽きない室内を見回していた智明は、なにかしっくりこないものを感じた。さりげなくまぎれているもの。すぐにわかった。ベランダの手前で物置きと化したベビーベッドと、その足元にころがるタオル地の、大きな赤いボールだった。

それはある種の直感かもしれなかった。

その二つは妙に目立った。それに妙に古びていた。馨が使っていたものを記念にとってあるのかなとさえ思った。

母親がカウンターの向こうから出した手作りのゼリーを受け取り、馨は立ったままスプーンでぱくりと食べた。

「あんた本当にお行儀が悪いわよ。智明さんに先にお出ししてから、すわって食べなさい。」

流しに立った母親にしかられて、馨ははあい、と言った。母親の前の彼女は丸っきりただの娘に戻ってしまい、微笑ましくもあったが、あまりののどかさにちょっとがっかりしてしまった。

「いただきます。」

とゼリーを食べながら、まだなんとなく部屋を見回している智明に、

「そんなに珍しいですか、こういう古いおうちが。」

と、となりに来た馨が言った。

「うん、うちはずっとマンションだからね。死んだばあちゃんちを思い出す。」

「散らかってて落ち着くでしょう。」

と笑った馨が手で床のゼリーをごとん、と倒して、あわてて起こしてあっ大丈夫だったぁ、と言った。

「散らかしてるのは君だ。」

と言った智明の声と、

「落ち着かないのはあんたよ。」

とカウンターから出てきながら言った母親の声が重なって、三人でひとしきり笑った。

彼女の母親は言った。

「全く、いくつになっても泣き虫で落ち着かなくて、育て方間違ったかしら。」

「泣き虫？」智明は笑った。「馨さんの泣き虫は昔からか。」

「なによ、もう。」

赤くなった馨はさっきの涙のことを思っているのだろう。智明は、あの日の馨を思い出していた。母親は続けた。

「それがね、初めての子でしょう。いろんな人に子育ての話とか聞くものよね。この子がおなかにいる時、ちょうど近所に二歳くらいの男の子がいてね、その子のお母さんが子供の泣くのがキライでね、泣くとものすごくしかるのよ。それがはた目に見てもすごくいやあな感じでね、反発をおぼえて、すっかり哲学のようにこの子には泣くことだけはおしませなかったの。泣きたい時はいくらでもお泣きなさい、それはいいことよ、そのかわり泣くのも泣きやむ時もひとりよって言ってね。」ゆっくりとお茶を飲みながら彼女の母親は笑った。「だからってねえ、こんなふうにまで正直にそのとおり育っちゃうなんてねえ。」

「失礼ね、そんなのってずるいわ。高校の頃とかに比べたら大人になったのよ。」

馨も笑った。

さっきから智明はもうひとつひっかかりを感じていた。こんなに仲がいいのになぜこの人は実家に戻らず、ひとり暮らしをしているのだろうか。

しかし、なんとなく聞いてはいけない気がして、口に出さなかった。これもカンだった。

「それにあんたまた少し太って……。さっき道で会った時は別人かと思ったわよ。少し、おやせなさい。」

「あら、太ったって、二、三キロよ。」

「高校くらいの頃に比べたらいいけど、あんたはただでさえお父さんに似て太りやすいんだから。」

「いつのことよ、そんなのって。」

母娘が楽しそうに昔話をはじめたのにうなずきながら、わかってきたことがあった。あの時、春、夜の海で泣くこの人にあんなに強く惹かれたのは、無垢に泣きじゃくるこの人を見て、自分の心に押さえつけられていた泣きたい自分が解放されたからだ。あの健やかな涙、理想の画像。

いちばん泣きたかった時、吐きそうになるほどこらえた。雪がたくさん降っていた、真っ白い午後だった。友子の寒い葬式だった。雪を汚す足跡がせまい路地にいくつもいくつも列を作り、霊柩車がなかなか入ってこられなかった。白と黒と、しゃりしゃり凍る雪のあずき色、たくさんの菊の花。棺の中の、白い白い友子。まわりの黒い服を、誰が誰だかを見わける気もせず、顔も上げられなかった。これよりは心中のほうがマシだったと本気で思えた。みんな暗い瞳をして雪にまみれ、白い息の中にすすり泣きがいくつも聞こえた。自分は絶対に泣いてはいけなかった。高校時代の友人たちにまぎれて立ちつくし、ひとり背中までじんじん冷えていた。足が棒のように動かず、心だけが嵐だった。空が灰色にぐるぐる回って見えた。手を合わせたものの、写真の友子を見ることができなかった。ついおとといの夜の、肩の線だけが残像のように幾度も浮かんだ。しばらく手を握っていて、と鼻声で頼んだこと、スカートにはねた泥のしみを、ふきんでふいて笑っていたこと。思い出すと目の奥がずきずきした。雪、雪。降りしきる白の中でかすむ黒い車が友子を乗せて路地を出て行ってしまう瞬間、気が遠くなった。絶対、頭が爆発して鼻血出てるに決まってる、と思ったのに、実際はただ立ちつくしたままだった。

「馨は今日、泊まれるんでしょ？　お父さんも会いたがってるのよ。」

母親が言った。

「そうしようかな、あ、でも、このダンボール。」

馨が智明の抱えてきた箱に触れた。

「明日、酒屋さんが来たら宅急便にしてもらえばいいじゃない。あんた、それより買物してきてよ。智明さんにも召し上がっていただきましょう。」母親が言い、

「あ、それすてき。ビーフストロガノフ作ってよ。私、材料買ってくる。」

と馨が言った。これ以上のせられると果てしなくいてしまいそうだったので、智明はあわてて、

「いいえ、夜ちょっとクラブの集まりがありますのでおいとまします。ごちそう様でした。」

と言った。

「えー、残念だわ。ね、またいつでも寄ってちょうだいね。」

心から残念そうに母親は言った。本当に優しそうな、しっかりした感じの人だなと智明は思った。

「じゃ、そこまで一緒に行こう、智明くん。」

と立ち上がった馨は、件（くだん）のベビーベッドのほうをちょっと振り向いてから智明を見た。

やっぱり変だな、と智明は思った。それはほんのちょっとしたしぐさだったけれど、その後姿はまるでうんと悲しいような、遠く海の向こうにある故郷を見るような感じだったからだ。

外はすっかり夕暮れだった。

街中の全てがオレンジに沈んで、ごちゃごちゃして見えた。ゆく雲は蛍光色にふちどられ、西へ向かって幾重にも重なり進んでいた。すごい美しさだった。

まるで別の星に来てしまったような、珍しく透明で赤い夕焼けだった。

「きれいね。」馨は言った。白い歯が夕風によく映えた。「ごめんね、急に実家に連れ込んだりして。でも母は気さくな人だから、全然気にしないでね。」

「いや、俺は気にしないよ、図々しいもん。のど渇いてたしさ。」

「そう。」

とちょっと目を細めた彼女の、汗ですっかりセットがくずれた前髪が、子供のようにさらさらそろって額をかくしていた。

「馨さん、弟さんか妹さんがいるのかい。」

思い切って智明はたずねてしまった。

「どうして？」

にわかに驚きの表情を浮かべて馨は智明を見上げた。

「いや、子供のものがあったから。」

それは死別の手ごたえで、やっぱりまずかったんだなと思いながらしぶしぶ智明はそう答えた。馨は言った。

「私の子なの。」

「え？」

と言ったまま、智明は思わず立ち止まってしまった。

「死んじゃったけど。」

一緒になって立ち止まり、うっすら微笑(ほほえ)んで馨は言った。

「うそだろ？」

「ほんとよう。」

きょとん、と彼女は言った。

「なんで言わなかったんだよ。」

「だって、悲しい話でしょう？」

「そりゃ、そうだけど……忘れたかったのか？」

もしも二人の心が初めて現実にピントを合わせてむき出しで触れ合った瞬間があるとしたら、この時だった。智明は、本当に我を忘れてしまった。自分でもなにを言いたいのかわからないまま口から言葉が押し出された。

「ううん、一生忘れない。」ちょっと目を伏せて馨は言った。「自分の子だもの、男の子だったわ。」

次の角を曲がった所に馨の目指す大きなスーパーがあるらしく、夕方の主婦が自転車に子供をたくさん積んで、あるいはショッピングカートを押して次々に、立ち止まる二人を追い抜いていった。もっとなにか話すことがある気がした。長く一緒にいたその午後の終わりに、とても別れがたく思えた。馨も同じ気持ちだったと思う。しばらく沈黙した後、立ち去りもせずに淡々と人ごとのように言った。

「ちょうど子供を産んですぐ後に、夫が死んでしまったのよ。お恥ずかしい話だけど、私、そのとたん子供を育てられる状態じゃなくなってしまって、母にものすごく助けてもらいながらこの子だけは！　って息も絶えだえになってがんばって、気を張って育児をしていたら、ついに、入院になってしまったの。」

「……神経科か？」

智明ははっきり言った。

「そう。」

まっすぐ智明を見つめて馨は言った。

「……そうかぁ。」

「ほんの少しの間だったんだけれど、その、入院中にね、赤ちゃんが肺炎にかかってあっけなく死んでしまったの。私がそれを知ったのは、退院してからなのね。もちろん。でも、あんまりショックで、誰のせいだとも思っていなくても、お母さんとうまく口がきけなくなっちゃったのよ。自分が病院に戻ってしまわないことで精一杯だったわ。でもお母さんは、あの子に関しては私よりもショックだったと思う。ものすごく責任を感じて、ノイローゼみたいになってしまって、私もそうでしょ、家の中がどうにもぎくしゃくしてしまって、でも二人で住んでいた家でひとり暮らしをする勇気もまだなくて、どうしようもなくて、あの時海に泊まりに行ってたの。智明くんに初めて会った時。今はもう、私もお母さんも元気で、すっかりああだけど。」

母の前で平凡な娘に戻った彼女に失望したさっきの自分が恥ずかしかった。その平凡さを、あの笑いころげていた母娘は死にもの狂いで取り戻したのだ。智明は今日一日に新しく知ったたくさんの過去の、あらゆる瞬間の彼女に、息が詰まるほどの尊敬をおぼえた。

「よく、がんばったね。」

その時、自分の口から飛び出したその子供じみた言葉に智明はびっくりしたが、それよりも、ほめられた子供のように照れて微笑み返した馨の笑顔がやり切れなかった。なんでこんなに普通の人の上に、そんなことが起こるはずがあるのか。この人が、急にひとりきりになってしまうなんてことが。しかし、世の中とか運命は情け容赦なく、人生はなんてバカなものなんだ。結局、なにがあってもこの人のように自分でやっていくしかないんだ、誰もほめてくれなくても、こんなふうに笑って。

夕闇は次第に濃くあたりに満ち、そんなことを思いながら馨の笑顔を見ていたら涙が出てしまった。あわてて顔をそむけて手のひらでかくしたが馨が気づかないわけがなかった。みるみるうちに暗い顔になり、

「泣かないでー。」

といった馨のほうが両手で顔を覆って、おおっぴらに泣きじゃくり出した。

びっくりして、智明の涙はあっという間に引っ込んでしまった。そうやって泣きに泣く馨の肩の線は、初めて馨に会った夜、闇に溶けそうだった時を思い出させた。今すぐに波音もよみがえってくるようだった。人目がじろじろかすめてゆくその雑踏で智明は、俺も泣いた、と思った。不思議だった。あんなにむつかしかったことが、ここでは簡単だった。

馨はなかなか泣き止まなかったが、人前でも、外でも、相手が女でも少しも不快ではなかった。馨の涙はただひたむきに泣く心だった。誰かになんとかしてという不純物がない、まっさらの泣き方だったので、肩も抱かずに待っていてよかった。ずいぶんしてからやっと彼女は顔を上げ、真っ赤な目で鼻をすすりながら、

「今日はいっぺんにいろんなことがあったね。」

と言って笑った。

「うん、やたら長い一日だったね。」智明は言った。「実家でめしでも食って、ゆっくりしなよ。あのバックナンバーでも見て、風呂に入って、ゆっくり寝な。」

「またね、また必ずね。」

馨は智明に微笑みかけた。

なにかが、確実に変わりはじめていた。よどんでいた空気が流れた。流れる瞬間まで見当もつかなかった気分が戻った。あの春の夜、なぜか同じように行きつく所も息をつける所も失って、たったひとりであの暗くうねる海と、ごうごう闇を吹き渡る暗い風と、ごつごつ浮かぶ岩のシルエットを見ていることだけしかやりたいことがなかった別々の二人が、どうしてか同じ場所でばったり会って、知っている人のように言葉を交わした。そのたわいない記憶をまるで同じ胎内にいた双子（ふたご）のように、懐かしく、別々の所で抱いて生きてい

た。あの夜の三十分ほどが、ずっと救いだった。曖昧に生きていたこのところの自分たちが、自分を許せたのはあの時だけだったのだろう。ある種の奇跡が、目の前で確かに起こりはじめていた。はたから見てそれがありふれた恋愛のはじまりであっても、確かに奇跡だった。

その日からしばらくしたある夕刻、智明は懸賞で当たった「一名様御招待」の試写会を見に行った。前人気の高い映画だったので、夜いちばんの試写室は結構混んでいた。ぱっと暗くなって映画がはじまってから、智明のとなりの席に男がやってきて、

「ここ、いいですか。」

と言った。置いてあった上着をどけて、どうぞ、と目が合った時、相手は異様な表情をした。まさに幽霊を見たというような表情だった。

「なにか?」

と智明が言うと、

「いえ。」

と言って彼はすわった。四十代前半くらいだろうか、骨ばってがっちりして、妙に老け

込んだ、おとなしい感じの男だった。グレーのスーツを着ていた。どう考えても知りもしない男だったが、彼は映画の合間にちらり、ちらりと智明を見た。ホモだろうかと気味悪くなり、映画が終わったら素早く席を立つぞと思っているうちに筋にひき込まれてしまった。字幕が終わり、ぱっと明かりがついた時、彼は言った。

「智明くんじゃないですか。」

「はい、そうです。」

咄嗟(とっさ)のことにとりあえずそう答えてはみたが、やはり見知らぬ人だった。だいたいなぜ姓をすっとばして名を呼ぶのか。そこがこわかった。けげんな顔でじろじろ見つめる智明に向かって、彼はどういったものか、という感じで苦笑してから、こう告げた。

「私は大友と言います。中野友子の夫だったものですよ。」

「ああ、あなたが。」

と言ったきり黙ってしまうほかなかった。本当は今すぐ逃げ出したい気持ちだった。

「よろしかったら、お茶か食事でも。」

と大友は言った。

「お仕事中では？」

スーツ姿の大友を見て智明は言った。

「いや、今日はもう終わりなんです。よかったらちょっと一杯やりますか。一度、あなたと話せたらと思っていたんです。」

彼はもの静かに、しかしそのかすれた低い声でひとことひとことをはっきりと言う人だった。なにもかもを知った上で言っているのだろう、と智明は直感した。仕方ない、と腹をくくって立ち上がった。

「そうですね、飲みに行きましょう。」

その、スーツ姿の中年と、たくましい学生という本物のホモのような取り合わせで近所のデパートの屋上の、ビヤガーデンに行った。周囲は退社直後のサラリーマンとOLの海だった。蒼(あお)く沈んでゆく街並に、笑い声が響く。金網の向こうに高層ビルが並んでそびえ立ち、夜風が色とりどりのちょうちんを揺らした。

「いやあ、夏はビールですね。」

と彼は笑った。この、いかにも内気(うちき)で内面は頑固そうな歳上の男を好いていたということで、友子のことがまたひとつわかったような気がした。

「そうですね、それと枝豆ですね。」

深い緑につやめく豆を、漠然と食べながら、思い切ってさぐりを入れてみた。

「……友子さん、は、残念でしたね。きれいな、明るい人だったのに。」

「ええ、立ち直るのに結構かかりました。急のことでしたし、やり切れなかったです。」

彼は暗い顔で淡々とそう言った。智明はふいにものすごい反感をおぼえた。心の奥底から突如やってきた感情だった。気どるんじゃない、と言ってやりたくなった。それでも心の半分は、この青い透明な夕方の空の色に溶けてゆくくらいの静かさで、誰のせいでもないのだと知っていた。哀惜の情がゆっくり満ちてきて、もうどこにもいない人なのに、友子にまつわる全てのことが自分の中でまだ生キズだということを理解した。こうやってことが起こるとまだこんなふうに混乱してしまう。

黙ってビールを飲んだ。

「こんなこと聞いても仕方がないかもしれませんが、友子は君のことを好きだったらしいですよ。」

大友は笑って言った。皮肉な冗談かと思ってぎょっとしたが、大友はしみじみとした目で続けた。

「死ぬ前に一度、会わせてやりたかったなあ。楽しかったことを思い出して、思いとどまってくれたかもしれない。」

おだやかな言い方だった。

「そんなことないです。」智明は言った。それどころか拍車をかけてしまいました、と思った。

「葬式がすんでしばらくは、むしろなにかから解放されたような気分でした。でも。」彼はその小さな鋭い瞳を細めて言った。「遺品を整理していたら、古い文庫本のね、彼女の大好きだった川端康成の本のページの間に、高校の時の君の写真が何枚も、何枚もはさんであったんですよ。いろんな写真がありました。体育祭のや、修学旅行のや、剣道の防具をつけたのや。さっき試写会で見て、すぐわかりましたよ。……遺品の整理なんてのは、なかなかやる気の出ない作業だったし、正直言って友子に対する愛情が枯れ果てていたので、その死の顚末の全てがただ面倒くさかったです。でも、その写真がばらばらっとひざに落ちてきた時、裏側に友子の字で〝時田智明くん〟と書いてあるのを見た時、自分でも信じられないほどの嫉妬心と共に、すっかり忘れていましたが初めて会った頃の友子が、本当にかわいくてやさしかった頃の生き生きとした友子のことが、いっぺんにうわっとリアルによみがえってきたんです。彼女は最後、怒ったり黙り込んだりしている姿ばかりを見せて死んでしまったことを思うとかわいそうで、ひとりで畳をかきむしって泣きました。あんなに泣いたのは子供の頃以来でしたよ……。」

あの時、友子はこう言った。

「うちのだんなさんね、最近、ちっとも私のことを好きじゃないの。本当よ。」

秋の真昼、呼び出されて、公園で会った。二人で並んでベンチにすわっていた。しょっちゅう会ってはいたが、まだつきあってはいなかった初秋の頃だ。そう、その日の夜に友子が恋を打ち明けたのだ。智明の心は決まっていた。それでそれから毎日のように会うようになったのだ。それはまだ平和に、ただ好意を持ち合っていただけの二人の、午後の会話だった。友子はコーラを飲んでいた。髪の毛が肩の、セーターの柔らかな毛糸のところでさらさら揺れた。彼女の横顔はいつも本当に甘く小さな整い方をしていた。足元の落葉を靴の先でがさがさかきわけて遊びながら、長いまつげで遠くの青空やビルを見ていた。

「何日も、続けて家に帰ってこないの。初めのうちは残業かな、と思って会社に電話をすると、もう退社しました。ってね。今はそんなことしないけど、あの、受話器を置いた瞬間のがっくりくる感じ、忘れられない。たまに帰ってくると、着替えを取りに来ていたりするのよ。あ、久しぶりってあいさつしたりするんだけど、なによりもいやなのは、そういう異常な情況に慣れてしまった自分の心なの。女の人から電話がかかってきても、あ、そうかと思って普通に取りついでしまうの。そして、ひそひそ声のやりとりを、ＴＶを観ながら普通に納得できてしまう。」

「そう言っている君も、冷え切ってるじゃないか。夫を愛していたらこんな所で俺と会ってないよ、今頃。」

智明は言った。その言葉ではうまく表現できなかったと思う。彼女にはスキがあった。夫と続けるにしても、智明に熱中しているにしてもその決定権が本人になかった。あるのは、ただ磁石が必ず北を指すように、今から抜け出すというふわふわした勢いだけで、本人がそれに振り回されているという感じだった。しかし、そんなことはどうでもよく、智明はその時、ただ友子を好きだった。話し方や、本人が振り回されているその感受性の強さや、ひまわりのような向上心や、くすくす笑うテンポに再び惹かれはじめていた。外で二人で会うことは、教室の中で毎日会っていたのよりも、彼女が人妻だからこそぐっと二人の距離が近かった。

友子は本格的にあきれた瞳で智明をじろじろ見て言った。

「こっどもねえぇ、あなた。まだ高校生なんじゃないの？」本物のバカを見るような目だった。「あの人とはもうだめな気がするの、わかる？　二人の間にあったなにかが死に絶えてしまったの。終わっちゃったのよ。」

「だって、そんなことわかってて結婚したんだろう。冷めることや、悪い時期も必ずあるだろうって知った上でさ、決心したんでしょう？　違うのか？」

「そうよ。」

「じゃあ、話し合うとかしてなんとかしたら。」

「なんとかってなに。」

「愛を取り戻す努力を。」

「もぉーう、だから、努力じゃないんだってばあ。」

友子は本気で怒って足をばたばたさせた。

その時の友子が、智明の写真を本にはさんでいたのだろうか。それとも、高校の時の友子だろうか。後者ならいいと智明は思った。友子自身がいちばん好きな頃の友子が、智明を求めていたのなら全てが明るい。そんな気がした。そうでないならそれはものすごくつらいことだった。夫にかくれてつきあいはじめてから、アルバムから写真をはがして集めていたとしたら。でも多分、後者だろう。彼女はそういう人だった。

「だいたい、そんな努力ができるんだったら、智明くんに相談なんてしてない。」

「じゃ、どうするんだ。」

「そっと、とっておくの。とっておきにしてたまに電話して、『元気?』って言ってお茶を飲んで、にこにこ笑ってばいばいってして、家に帰るだけ。智明くんは私にとって、ずっとそういう人だったのよ。プールの頃からずっと。」

友子は言った。

君が結婚をはやまったんだ、それが間違ってたんだよ、と思ったが言わなかった。その時は、取り返しのつくことだと思い込んでいたのだ。自分ならなんとかできるだろうと。

……あの、どこまでも抜けてゆく空の色の青。冷々と足元のじゃり道に舞い降りてくる落葉のかたち。深まりゆく秋の中でもうすでに、友子は死にはじめていた。友子の心にはもう誰のどんな言葉もちゃんと届かず、友子しかいなかった。それがわかっていても、好きになることは止まらなかった。


「でも、友子のことを話題にしたのは、彼女が死んでから初めてで、胸のつかえが下りたような気がしますよ。」大友は静かに言った。

「人が死ぬっていうことは、誰にも止められないことだと思います。」と言いながら智明の頭には、飛び降りる直前の人の話をする母や、あの夜、どこまでも澄み渡っていた友子の様子、なにを話してもまるで遺言のようだったことがばたばたと変わる場面として次々に浮かんだ。「うまく言えないけど、友子は貯金を使い果たしちゃったんじゃないかな。冷たい言い方ですが。」

「貯金？」

「高校の時、彼女は本当に誰よりも光っていました。なにもしなくても、なんでも彼女の思うとおりになるくらいに彼女はすごかった。そういう時期ってもしかしたら一生にいっぺんくらいは、誰にでもあるのかもしれない。でも、どうしてか思うようにいかなくなって、いちばんびっくりしたのは友子じゃないかな。」智明は続けた。「だからといって死んでしまうくらいに、そのことが彼女にはつらかったんだと思うよ。友子の頭の中では、ほっておいても大友さんは友子にずっと夢中なはずで、浮気なんかするはずがなくて、人生はそういういつも自分にとって有利なものだったんだよ。でも実際はそうじゃない。ずっと特別でいられる奴なんていない。そんな簡単なことを、きっと友子は死んでも認めたくなかったんだ。」

何回も何回も、友子は負けたんだと自分に言い聞かせた頃があった。もちろん夫のせいもあるし、自分も引き止められなかった。でも友子はなにかに思い切り負けてしまったんだと、息も絶え絶えになって言い聞かせたのだ。でも今は、その時のいつよりも確信があった。心から誰にも止められなかったのだと思えると、呼吸が楽になった。たとえ紙一重（かみひとえ）のところに生があったとしても、そこを透（す）かして彼女は死を夢見ていた。使い果たしてしまったなにかを死にもの狂いで取り戻す明日よりも、楽になりたかったのだろう。

「でも、本当にかわいそうだと思います。」と言いながら本当に泣きそうになった。あの細い体の中に、死に至るほどのプライドが巣食って(すく)いたのだ。そんなことを知らずに最後まで抵抗しようとして、笑ったり泣いたりしていたのだ。

「……めぐり合わせとか、運命とかいう言葉は嫌いですが。」大友は言った。「最近やっと、あれはもう終わったことなんだと思えるようになりました。忘れることは不可能ですが、人は自分をやる他ないです。友子のことがどんなに自分の人生をすり減らしても、後はなんとかやっていく他、ないですからね。」

「そう思います。」

智明は言った。星が見えないほど明るいにぎわいと音楽の中で、目まいのように唐突(とうとつ)に、その瞬間あらゆる許しが二人の間にすとんと降りてきた。思ってもみなかったことだった。

馨もいつかは負けるのだろうか、と不謹慎にも智明は比べて考えてみた。今は、会う度に少女のように笑い、まっすぐにこちらを見上げる彼女も、いつか周囲のなにもかもに不満を持つようになるのだろうか。夜風の中でぼんやりとそう思った智明は――違う。と思った。あの人はまだ自分を知らない。なにもかもがまだこれからの人なのだ。

さんざんビールを飲んでから部屋へ帰ると、たまらなく眠くなってきた。そのような急激な眠気に襲われたのは、高校の頃、剣道をはじめたばかりの頃、練習を終えてくたくたになって帰ってきた時以来だった。

あまり認めたくはないが、友子の夫に出会ったからに決まっていた。友子の夫とは、顔も知らない、見たこともない存在なのにずっと重苦しいなにかだった。ひとりの人間としてよりももっと抽象的に存在したなにかとんでもなく重大な影だった。友子が死んでからもずっと、その感じは抜けなかった。しかしそれが今さら、こんな形で霧散するとは思ってもみなかったことだった。なにもかもを打ち明けたわけでもなかったのに、それよりももっと大きな、時間の流れのようなことに、もうそのことが押されはじめているのを知ることができたのだ。

倒れ込むようにベッドに入って、眠った。

そして、夢を見た。夢の画像は哀しいくらい透明だった。

夜の田舎町を歩いていた。潮の匂いがして、ああ、ここは○○市だ、とわかった。春にひとりで来た所だ、と思った。大通りをまっすぐに歩いて行って、左に折れると海があるはずだった。

なぜか荷作りした時のことをじっくり思い出した。荷作りをするのが、いちばん重かったのだ。自分がわざわざ移動して、宿泊して、気晴らしをしたところでそこになにがあるわけでもない、失ったものは、今度東京へ戻っても、戻りはしない。そういうことを別に考えまいとばかりして生活していたことが、荷作りの全てに集約されていた。タオルだの、本だの、歯ブラシだの、友子は荷作りが大好きで、旅行そのものよりもうきうきすると言った。修学旅行よりも、前の晩のわくわくするような感じのほうが好きなの、と言ったのはいつ頃だっただろうか。そんなことだから死にたくなってしまうんだ、と智明はくやしく思った。

いくら歩いても、よくわかる場所に出なかった。海にはあまり行きたくなくて、本屋とか、ラーメン屋とか、そういうちょっとした店をなんとなく探していた。夜の明かりが全て、光る真珠やルビーのように鮮やかに夜景に浮き上がって、澄んだ外気に映って見えた。夢の中の自分はまるで子供のように弱気で、よるところがなく、そういった美しい夜の風景に溶けてしまいそうに思えた。そしてなぜかこの美しい夜、この広い町のどこかに友子がいるような気が突然、した。そのとたん激情に近い、哀切(あいせつ)が胸にこみ上げてきた。眠る友子の髪の香りを、今、ここにあるようにはっきりと思い出し、探して、探せば必ず会えそうな気がした。家のドアを一軒ずつたたき、あらゆる路地を走って、月を追いかけて浜辺の砂までさらってみさえすれば、もう一度。

しかし、それがなにになるのだろうか、と思うと足の先まですっと冷えた。まるであの冬の、凍えた風が体の中にまだ生きているように思い知らされた。そしてはっきりと大友の顔が浮かんだ。あの人も、もう、次のことを考えはじめているではないか。いやがおうでも、そうなのだと。

大したことではなかったのかもしれないし、大変なことだったのかもしれない。月が高く、答えは曖昧だった。友子と全く同じように、ただなにも問題はないまま、めしを食ったり、剣道をしたりして単に生きてゆくはずだったのに、垣間見てしまったのだ。負けたくなければそのことをふまえて、歩くしかなかった。それにしても、夜がきれいだった。誰にも会わないまま、いくつもの角を曲がり、海に出てしまうかもしれない。そうすると、誰かに会うような、気がした。どこまでも歩けそうだ。……と思った時、智明は少し切なくなった。この言葉を言ったのは、誰だったろうか。不思議と馨の顔は浮かばず、マーガレットのような淡い面影だけが頭をかすめた。

開け放した窓から風が入っていた。目覚めた時、三十分くらいしか時間がたっていないのに、世界中が妙によそよそしくなじみのないものに見えた。

夜の、十時だった。大友と別れたのが九時だから、ついさっきまであのうるさいビヤガーデンにいたのに、えらく昔のことのように感じた。二つの夜を行き来してしまったようだった。

そよそよと、汗を冷やす夏風も、はるかかなたを照らす月明かりも、暗く夏の香りがした。もうおぼえていない夢の余韻(よいん)が、ものすごく豪華な淋(さび)しさで胸に満ちてきた。体中がしびれるくらいにひとつの夜の影かたちが、心を支配していた。

そしてその時、これだったのかと、プールから出て昼寝をした午後の授業の時の友子を、突如(とつじょ)強烈に理解してしまった。こんなに時間がたって初めてわかることがあるとは、と思うと、友子の死ぬほどの孤独をなにもわかっていないだろうということに気づいた。やり切れない気持ちがのど元までやってきた時、電話が鳴った。

取ると、

「もしもし。」

とおずおず言う馨の声が軽やかに響いた。

「ああ。」

智明は寝ぼけ声で言った。

「寝てたの？　起こしちゃった？　ごめんなさいね。」

「いや、もう起きてたよ。なに。」

「あのね、今日、すごく気持ちがいい陽気なのよ、外が。番外編で、夜の散歩っていうのをやっているの。実は××町にいるのね、今。」

けっこう遠い町名だった。そして彼女には不思議な強引さがあった。

「出てこれない？　本当に、今、散歩するしかないような、いい夜なのよ。よかったら二人でお茶でも飲みましょう。それで、歩いて帰りましょう。疲れたらバスに乗りましょう。」


おち合ってすぐに入った酒の店で、たった一杯飲んだカンパリソーダで、彼女はその酒と同じくらい赤くなってしまった。智明はもともとが酔っぱらっていたので、なんとなく二人とも浮かれてしまった。夜、会ったからかもしれない。それはあの春以来だったからだ。それで、バスにもタクシーにも乗らずに、なんとなく遠い道のりを歩きはじめてしまった。

街中の人々が、そういえば夏ってこうだったなと一年ぶりに思い出すような夜だった。

小さく白く輝く月がどこまでも高く照らし、そのまわりを黒というよりも青をいく枚も重ねたような夜空が波紋（はもん）のように果てしなく広がって見えた。そんなふうに見上げる宇宙がぐんと立体的に思えた。並木が闇（やみ）にざわざわと揺れ、にじむように鮮やかでみずみずしい緑が、力一杯香りを解き放っていた。なにもかもがはっきりと、美しく見えた。

「ね、どこまでも歩けそうでしょ、今夜って。」

真っ赤にほてった馨は、とりとめもなくよくしゃべった。

「馨さん、トマトのようだよ。」

智明は言った。馨はいつも自分のまわりにあるその風景に絵のようにすっとなじんでしまう。そしてその中でしんと静かに輝いて見える。二人共が早足で歩くので、暗いアスファルトやガードレールがぐんぐん過ぎてゆく。もう、乗るはずのバスが二台も二人を追い抜いていったが、あえてお互いなにも言わずに歩いた。歩くのがただ楽しかった。

「今日は一日、なにしてたの？　ずっと寝ていたの？」

馨が言った。

「試写会に行って、思わぬ人に会った。」智明は笑った。「それで、ビール飲みに行って、寝て、なんか夜歩くような夢を見たな。正夢（まさゆめ）だな。」

「そう。」

馨はひっそり微笑んだ。思わぬ人って誰、とたずねるかわりにだろう、

「夢の中で歩いたの？」

と言った。

「うん、なんだか今日は夜が二回来たようだ。」

と智明は言った。

「本気で寝るからよ、こんな変な時間に。」

馨は笑った。

「馨さんの生活は健康そうだ。」

すっと伸びた背すじで一歩一歩きちんと歩いてゆく彼女は、夜よりもしっかりとあるもののように見えた。

「夜は十二時に寝て、朝は八時に起きているわ……っていっても、そういうの、つい最近よ。つい二ヵ月くらい前までは、自分がいつ寝るのか、起きるのか、見当もつかなかったわ。いつでも自分は死にたいのか、仕方なく生きるのかを一秒ごとに選択しているようだったわ。明日や、あさってが全然、見えなかったの。次の日がちゃんとやってくるなんて思えない夜が多かったなあ。ほら、ずっとずっと、小さな頃から本当に健康的に生活してきたのね。ＴＶは二時間、歯をみがいて、両親におやすみなさい、みたいな子供だったの

よ。私、夜明けまでTVを観てしまって、ふっと眠ってしまった後まだTVがついているような冷たい感じを、初めて知った。それから、ワインとかをひとりで立てなくなるまでいつの間にか飲んでしまったことも、初めてだったわ。それでも次の日、酒屋へ行ってなに飲もうか考えてしまうなんて思ってもみなかった。昼間、青空の下を歩いててわあわあ泣いたのも、どうしても子供のものが片づけられなくて、その一角だけが部屋の中でブラックゾーンみたいになったまま何ヵ月もたってしまったことも。写真のネガや、『ウイナーズ』のバックナンバーだって、突然、部屋にあることが耐えられなくなって、夜中に飛び起きてね、ばらばらにしてゴミ袋に入れちゃったのよ。翌朝捨てそびれて、次の夜中にまたそのゴミ袋の口を開けて泣いたり、ついに捨てる時なんて女友達に泊まってもらったりしたの。なにもかもがひりひりして、いなばの白うさぎのようだったわ。そういうのみんな、いやなことばかりだけれど、初めて知ったの。本当よ、もう、なにも私にはない、NO、FUTUREだって、本気で思っていたの。あの時の私の精神状態を私は思い出せない……なんか、私、いっぱいしゃべっているわね、なんだか、あの時みたい。あの、海の時。

ああ、風が気持ちいいね。なんだか、夜って青いね。」

「うん、夏だからね。夏はいいよ。」

智明は言った。心から言った。

「あの時、結局つらくてすぐ帰ってきてしまったけれど、後になってよく、夜の海のこと考えたわ。私……。」うっとりと夢のように馨は言った。「夜の海があんなに果てしないものだなんて、知らなかった。闇の中で海を見ていると、不思議と幸福だったわ。……海からこっちへ帰ってくるまではそんなふうに感じなかったけれど、泣く度に暗い海とあの波音を思い出すと安心したわ。夜の海があんなふうにはっきりと見えてくるまでひとりですわっていたことも、初めてだった。あんなに悲しい気持ちだったのに、波の寄せてくる重い水の感じや、砂浜のうっすら見える目の前の景色のこわいくらいのきれいさを、ちゃんと見ていたの。」

馨は永久に話し続けそうだった。そして、永遠に話させてやりたいような気がした。聞いていても仕方のないはずの他人の思い出話が、こんな夜の底ではぴったりと心に寄り添い、しみてくるのだ。夜中に近づいて、車はどんどんまばらになり、人通りも減ってゆくアスファルトの歩道に、馨の声が響いていた。

「智明くん、疲れた?」

「いや、まさか。」

「日頃、きたえているものね。じゃ、やっぱり家まで歩いて帰ろう?」

智明の顔をのぞき込んで馨が言った。

「おお、今さらタクシーに乗るほどの距離じゃないからな。」

「うん。」馨は嬉しそうにうなずいて、続けた。「なんだか最近、楽しいね。なんとなく生きててよかった、っていう感じがする。」

「楽しいことなんか、まだいくらだってあるんだ。」

智明はたまらず言った。自分がわあわあ泣きたいのか、にこにこ笑いたいのか、さっぱりわからなくて表情が決まらなかった。ただ、月がビルの角の所で光っているのをじっと見ていた。言葉は堂々と、そしてどんどん出てきた。

「祭りがもうすぐはじまるから、それに行こう。剣道の試合も見に来てよ。まだカメラなしでいいから。それから、そうだ、一緒にあの海に旅行しよう。夏の昼の海だってすごくいいかもしれないよ。今度こそちゃんと部屋に誘ってやるからさ、な?」

その言葉は、そしてそれから少し照れて瞳を細め、まぶしそうな顔でうん、と言った馨の赤いほほは、まるで闇夜(やみよ)のランプの明かりのようにほんのりと、はるかに未来のほうまでを明るく照らしていた。

文庫版あとがき

この小説こそが、誰が書いたかわからないくらい今の私から遠い一作でしょう。何回読んでみても、とても自分が考えた話とは思えず、首をかしげる私です。二度とは書けません。

当時からどこかでそう思っていて担当の根本さんにそう言ったら、自分の作品をそんなふうに言っちゃ駄目だ、と言われ、優しく熱い編集魂を見たおぼえがあります。

しかし、今も私の思いは変わらず、どういう私がこれを書いたんだろう？　ちょっと話をして思い切りばかにしてやりたいなあ、とか思います。本当の謙虚さとはこういうのをいうのだ、と勝手に思いつつ。そういう性格は、なかなか直らないようです。……だったら書かなきゃいいのに、というような作品をなくしていくのが今後の目標です。

でも、それとは別に私の作家人生は根本さんのたえまない暖かさ、熱さ、優しいまなざしに支えられてきました。根本さんのもとでこの本が、増子由美さんによるお色直しをして、また世に出ることができたのも、全てその大きな愛情のおかげです。根本さん、ありがとう。他の点ではいつもあつかましい私ですが、深く頭を下げて心から感謝いたします。

一九九七年十月末日

吉本　ばなな

本書は、一九九一年十一月、福武文庫として刊行されました。

うたかた／サンクチュアリ

吉本(よしもと)ばなな

角川文庫　10567

平成　九　年十二月二十五日　初版発行
平成十一年　五　月　十　日　四版発行

発行者――角川歴彦
発行所――株式会社角川書店
東京都千代田区富士見二―十三―三
電話　編集部（〇三）三二三八―八四五一
　　　営業部（〇三）三二三八―八五二一
〒一〇二―八一七七
振替〇〇一三〇―九―一九五二〇八

印刷所――旭印刷　製本所――千曲堂
装幀者――杉浦康平

よ 11-6　ISBN4-04-180006-4　C0193

角川文庫発刊に際して

角川源義

第二次世界大戦の敗北は、軍事力の敗北であった以上に、私たちの若い文化力の敗退であった。私たちの文化が戦争に対して如何に無力であり、単なるあだ花に過ぎなかったかを、私たちは身を以て体験し痛感した。西洋近代文化の摂取にとって、明治以後八十年の歳月は決して短かすぎたとは言えない。にもかかわらず、近代文化の伝統を確立し、自由な批判と柔軟な良識に富む文化層として自らを形成することに私たちは失敗して来た。そしてこれは、各層への文化の普及滲透を任務とする出版人の責任でもあった。

一九四五年以来、私たちは再び振出しに戻り、第一歩から踏み出すことを余儀なくされた。これは大きな不幸ではあるが、反面、これまでの混沌・未熟・歪曲の中にあった我が国の文化に秩序と確たる基礎を齎らすためには絶好の機会でもある。角川書店は、このような祖国の文化的危機にあたり、微力をも顧みず再建の礎石たるべき抱負と決意とをもって出発したが、ここに創立以来の念願を果すべく角川文庫を発刊する。これまで刊行されたあらゆる全集叢書文庫類の長所と短所とを検討し、古今東西の不朽の典籍を、良心的編集のもとに、廉価に、そして書架にふさわしい美本として、多くのひとびとに提供しようとする。しかし私たちは徒らに百科全書的な知識のジレッタントを作ることを目的とせず、あくまで祖国の文化に秩序と再建への道を示し、この文庫を角川書店の栄ある事業として、今後永久に継続発展せしめ、学芸と教養との殿堂として大成せんことを期したい。多くの読書子の愛情ある忠言と支持とによって、この希望と抱負とを完遂せしめられんことを願う。

一九四九年五月三日

角川文庫ベストセラー

赤い絨毯　清水一行

日韓癒着問題の爆弾発言を行った代議士が密室のホテルから消えた。拉致・誘拐か謀略か……迫真の政治サスペンス長編。

相続人の妻　清水一行

バブル崩壊の不況下、損失補塡などで経営危機に陥った名門証券会社の兄弟の骨肉の内紛劇を生々しく描く傑作長編。

出向拒否　清水一行

日本の企業社会に生きるさまざまな人間のドラマを描き、高度成長経済時代の光と闇を鮮やかに浮き彫りにした傑作短編集。

烙印の森　大沢在昌

犯行後、必ず現場に現れるという殺人者〝フクロウ〟を追うカメラマンの凄絶なる戦い！　裏社会に生きる者たちを巧みに綴る傑作長編。

追跡者の血統　大沢在昌

六本木の帝王・沢辺が失踪した。直前まで行動を共にしていた悪友佐久間公は、その不可解な失踪に疑問を抱き、調査を始めるが…?!

暗黒旅人　大沢在昌

人生に絶望し、死を選んだ男が、その死の直前、謎の老人から成功と引き替えに与えられた〝使命〟とは!?　著者渾身の異色長編小説。

永遠(とわ)の島　花村萬月

日本海中央に位置する匂島近海で、不可思議な事件が多発。この事件に強く惹かれた洋子はZナナハン改を駆り調査にのり出すが…。

角川文庫ベストセラー

角川文庫ベストセラー

朝日殺人事件　内田康夫

死者が遺したメッセージ〝アサヒ〟とは!? 名古屋、北陸、そして東北へ。名探偵・浅見光彦の推理が冴える旅情ミステリー。

北緯四三度からの死の予告　西村京太郎

警視総監宛てにKと名乗る男から殺人予告が四通。だが五通目にはそのKの死亡記事が……。札幌―東京、二つの事件の結び目を十津川警部が追跡する。

長良川鵜飼殺人事件　山村美紗

情緒豊かな長良川、嵯峨野、酒田、中村を舞台にキャサリンと浜口の名コンビが四つの難事件に挑む！ 華麗なる傑作ミステリー集。

赤かぶ検事奮戦記38
密室のたわむれ　和久峻三

警察官が留置所内で容疑者をレイプした。しかし、二人には意外な過去があった……。赤かぶ検事の推理が冴える傑作短編集。

出雲信仰殺人事件　吉村達也

都心の高層ホテルの一室に死体がひとつ、毒蛇が八匹！ 日本神話のヤマタノオロチ伝説を連想させる衝撃の毒殺事件がすべてのはじまりだった！

悪魔の求愛　笹沢左保

身元を秘した旅先での一度だけの情事。帰京後の一本の電話からすべてが狂い始めた……。ごく普通のOLに襲いかかる恐怖と戦慄を描く！

探偵事務所
巨大密室　鳥羽亮

次々とビルの屋上から身を投げる女達。これは自殺か他殺か!? 巧妙に仕組まれた連続殺人事件の謎に、元刑事の探偵・室生が挑む!!